JN300676

その人事評価は何のため？

塩津 真
Shiotsu Makoto

経営書院

はじめに

「評価」はみんなの嫌われ者？

　年に1、2度（もしくは、それ以上）決まった時期になると会社から「人事評価」を行うようにとの指示があり、社内に憂鬱な空気が流れます。多くの社員は「評価」という言葉の中に、どうしてもネガティブな響きを感じてしまいます。「他者と比較されて、序列付けされる」「自分の問題点・欠点をほじくり出される」「どうせ上司は分かってないのに」。常に「1番」の評価を受ける人でもない限り、「評価」とはあまり楽しいものではないようです。

　「評価」に対してネガティブな印象を持っているのは、何も評価される側だけではありません。評価する側、つまり管理職達にとっても「人事評価」の時期は憂鬱です。「どんな評価をしたところで、部下達からは文句をいわれる」「上司（二次評価者）からは『評価が甘すぎる』と叱られる」「そうじゃなくても忙しいのに、なんでこんな余計な手間の掛かることをやらせるのか」。評価に対する不満を聞き始めたらキリがありません。「だいたい自分には『人を評価する』なんていう役割は無理なんだ」「評価をさせられるぐらいなら、管理職から降ろしてもらいたい」なんて声さえ聞こえてきます。

　「人事評価」を推進する人事部門や経営者側にとっても、文句を言いたいことが一杯です。「みんなは誰のために評価を行っているのかが分かっていない」「みんながちゃんと評価をしてくれないから、人事部門の苦労が絶えないんじゃないか」。まさに、「評価はみんなの嫌われ者」といった様相を呈しています。

　それでは、本当は「誰のために」評価を行っているのでしょうか？また、「ちゃんと評価をする」とはどういうことなのでしょうか？実は、このことをきちんと整理して理解していないところに評価が

「嫌われ者」になっている原因があるようです。

　本書は、そのような「評価」が、「みんなの嫌われ者」であることから脱し、適正に理解・活用されることを目的に執筆したものです。そして、そのために、「今の時代」における「評価」の意味・内容を「職場におけるマネジメントプロセスとしての『振り返り評価』と『成果追求・人材開発』の促進（＝上司の評価）」と、「社員個々の処遇決定による『動機づけ』と『キャリア開発』の推進（＝会社の評価）」という２つの視点から整理し、構造化して、説明しています。

　この本をご覧になる皆さんは、部下を評価する立場の会社の管理職かもしれません。もしくは、会社の中で評価の仕組みを構築する立場の経営者や人事担当者かもしれません。場合によっては、評価をされる側かもしれません。いずれの立場であっても、本書をご一読いただくことで、「なるほど、そういうことだったんだ！」というご感想をお持ちいただき、すっきりとした気持ちで、正しく「評価」の仕組みを構築し、また、取り組んでいただけるようになることを心より祈念いたします。

　　　　　　　　　　　　　　　　　　　　　　　　　　　塩津　真

目　次

はじめに
　「評価」はみんなの嫌われ者？

第1章　今の時代の「評価」の意味と管理職の役割

　1．評価を行う意味・目的 …………………………………………… 2
　2．今の時代の評価の構造 …………………………………………… 6
　3．評価における管理職の役割 …………………………………… 13

第2章　上司の評価

第1節　マネジメントプロセスとしての「振り返り評価」
　1．上司の行う「振り返り評価」の意味と構造 ……………… 18
　2．「仕事の成果」として上司が評価すべきもの ……………… 21
　3．「仕事のプロセス」として上司が評価すべきもの ………… 26
　4．上司と本人による「振り返り評価」のすり合わせ ……… 30

第2節　「人事評価」による「成果追求」と「人材開発」の促進
　1．「人事評価」の実施プロセス …………………………………… 35
　2．「業績評価」の考え方とプロセス …………………………… 37
　3．「等級評価」の考え方とプロセス …………………………… 41
　4．上司による「人事評価」のフィードバック ……………… 49

第3節　「人事評価」の信頼性を高めるために
　1．「評価の信頼性」とは何か ……………………………………… 54
　2．「二次評価」「評価のすり合わせ会議」の意味と効用 …… 58
　3．「ランクづけ」のメカニズム …………………………………… 63
　4．要素別評価と総括評価 ………………………………………… 70

第3章　会社の評価

第1節　処遇反映による「動機づけ」
　1．「動機づけ」と処遇反映の関係 …………………………… 74
　2．「給与」の内容と動機づけ ………………………………… 78
　3．「褒賞」としての「給与」の活用 ………………………… 81

第2節　「等級制度」による「キャリア開発」
　1．「キャリア開発」と「役割レベル」の評価 ……………… 85
　2．「キャリア開発」の具体的展開 …………………………… 90

第3節　処遇結果のフィードバック
　1．面談による処遇結果のフィードバック ………………… 95
　2．「処遇反映ルール」の理解の促進 ………………………… 97

補章　「上司」「会社」以外の評価
　1．「360度評価」の考え方と展開 …………………………… 102
　2．社外の専門家による評価 ………………………………… 106

あとがき

第1章

今の時代の「評価」の意味と管理職の役割

1．評価を行う意味・目的

「評価」の目的についての４つの回答

　「人事評価は何のために行われるのか？」という質問の回答として、以下の４つの選択肢を用意しました。どれが正解だと思いますか？

　Ａ１：「人事評価」の目的は、社員個々の当該期の働きぶりに報い、「昇給」「賞与」といった形で褒賞していくために社員のランク付けをすることである（褒賞ランク付け）

　Ａ２：「人事評価」の目的は、社員の人材開発を促進するために人材としての社員個々の現状レベルや成長状況を格付けして、その育成の課題を明確化することである（人材レベル格付け）

　Ａ３：「人事評価」の目的は、期末に社員個々の仕事状況について振り返ることによって次期に取り組むべき課題を明確化し、仕事への動機づけを図ることである（仕事の振り返り）

　Ａ４：「人事評価」の目的は、社員個々の「給与・処遇」を会社が決定していくために仕事貢献レベル等の必要データを収集することである（処遇決定データ）

　この４つの回答を実際に選択してもらうと、見事に４つに分かれることが予想されます。同じ会社に勤めている人たちの間でも、現に評価をしている管理職や人事担当者の中でさえも回答は１つにならないでしょう。また、「人事評価の意味・目的なんか考えたことがない」と、選択することができない人も結構多く見られる一方で、自分が選択した回答に対しゆるぎない自信を持ち、「他の選択肢を選ぶことなど考えられない」といった様子の方さえ見られるかもしれません。

　実は、これらの４つの回答は「どれも正解」にも「どれも不正解」にもなり得ます。なぜならば、会社がどのような「人事方針・戦略」

を持ち、人事制度全体の中で人事評価をどう位置づけているかによって、意味・目的が違ってくるからです。ところが、そのことを明快に整理し、社員に徹底しきれていないのが現実だと思います。

　人事評価について偏った解釈をしていれば、当然「余計な手続きが多い」「負担感が強い」と思うでしょう。また、「意味・目的」を考えずに結果だけにとらわれると、人事評価は単に「社員の序列付け」や「問題点・欠点のほじくり出し」となり、大半の社員にとってはネガティブなものとなってしまいます。

「人事評価」の目的は時代とともに変化してきた

　この「4つの回答」が、なぜ「どれも正解」となりうるのかといえば、歴史的な背景があることが見逃せません。つまり、時代の変遷に伴い、求められる「人事方針・戦略」も変化し、その中における「人事評価」の位置づけ・目的についても、その都度いろいろな言い方を持って語られてきています。

　戦後の高度成長期から「団塊の世代」が労働力として中堅社員になり始める1970年台の半ばぐらいまでの長期間に渡り、日本の産業界では多くの場合、比較的単純な「年功主義・一律人事」という人事戦略をとっていました。なぜならば、貧しさの中から急速に復興していくうえで、「長期的に雇用が保障され、計画的・安定的に昇給していく」ことが労働者に安心感を与え、余計な心配をさせることなく、一生懸命業務に専念させることに有効に機能したからです。

　この「年功主義・一律人事」の下における人事評価の持つ意味は、「A1：褒賞ランク付け」がその中心であったといえます。つまり、ほとんど処遇に違いがない中でわずかではあっても「賞与」や「昇給」に差をつけることは、社員に大きな刺激を与えると考えられたのです。いわば、「同期の中で遅れをとるまい」という気持ちから仕事に対する動機づけを行っていくために人事評価が行われていたのです。

1970年台の後半になり団塊の世代が「そろそろ管理職に」という時期になってくると、企業によってはいわゆる「ポスト不足」が囁かれるようになりました。それまでの「平社員→係長→課長→次長→部長」という一律の「立身出世型」の人材開発モデルが崩れ、「ポストに頼らない人事処遇」といった人事戦略が必要になってきたのです。そこで、今度は社員個々の「人材」としてのレベルを「格付け評価」するという考え方が生まれ、「職能資格制度」に代表される人事処遇制度が導入され始めました。こうして、人事評価に「Ａ２：人材レベル格付け」の意味が加わり、重要視されるようになってきたというわけです。現在でも、このような位置づけで人事評価をとらえている企業も多いのではないかと考えられます。

マネジメントプロセスとしての「振り返り評価」の意味が注目される
　このところの経営環境の変化は、非常に激しいものがあります。以前はほとんどの業界・ほとんどの企業で当たり前と考えられていた「大量供給による生産性の追求」というビジネス戦略が意味を持たなくなり、「オンリーワン企業を目指す」「スピード経営」「選択と集中」「顧客満足度（ＣＳ）の追求」といったさまざまなキーワードの下、新たな戦略を次から次へと打ち出さなければならない状況になってきました。
　この経営環境の変化に伴い、人事方針・戦略もさらに大きく舵を切ることが強いられてきました。社員には「一生懸命に決められた作業を実行する」ことではなく、「専門性の高さ」や「戦略に従い、柔軟に仕事の進め方を変えていく課題形成力の高さ」が求められるようになり、仕事のマネジメントの仕方も「プロセス管理型」ではなく「成果追求型」になってきました。これまでは部下に対して決められた手順どおりに仕事を行うことを求めていればよかったものが、今の時代では部下個々に期待する成果を明確に示し、その追求のために自律的

に仕事を進めていくことを求めていくことが管理職の役割として重要になってきたわけです。そのような状況に対応して、多くの企業では「目標管理」のマネジメントプロセスを導入・定着させてきました。

「目標管理」のプロセスにおいては、目標の達成状況や仕事プロセスを期末に評価・振り返ることを通して、次期の仕事のレベルアップに活かしていきます。つまり、マネジメントの一環として、「A3：仕事の振り返り」という評価のプロセスを重要視するようになってきたのです。

このことは厳密には「人事評価」といえるものではないかもしれませんが、「人事評価」の考え方に大きな一石を投じる結果となりました。なぜならば、それまで「評価は、処遇を決めるため」といった文脈だけから語られてきたことが、「評価は、現場のマネジメントの一環」と語られるようになったからです。そして、給与や格付けといった処遇も、この「振り返り評価」を中心にとらえて整合性が保たれていることが求められるようになってきました。その意味では、管理職に対して大きな「発想の転換」を突きつけているともいえます。

「給与」の考え方の変化が「人事評価」の意味の転換を招いた

近年、企業と働く側の両方に「給与」に対する価値観の変化が生じてきたことも、経営環境の大きな変化の1つです。それまで「給与は、生活保障である」と位置づけられてきたものが、「給与は、仕事貢献の対償である」という考え方が主流になってきたことで、「成果主義賃金」という考え方も生まれました。つまり、「年功主義・一律人事」ではなく、「貢献度が高ければ給与は高く、逆に、貢献度が低ければ給与が低いのは当たり前」という考え方です。また、昨今では「中途採用」が一般的になり、「ジョブ型雇用」といったキーワードにも象徴されるように、社員個々が担う「仕事」と「雇用」との関係についての考え方も大きく変動してきました。そして、それらの考え方にし

図表1-1 「評価」の4つの目的

種類	褒賞ランク付け	人材レベル格付け	仕事の振り返り	処遇決定データ
内容	当該期の仕事ぶりに報い、「賞与」「昇給」といった形で褒賞し、処遇に差をつけることで動機づけを図る	人材としてのレベルや成長状況を格付けして、その育成の課題を明確化することで人材開発の推進を図る	期末に仕事状況について振り返ることによって、次期に取り組むべき課題の明確化を図る	社員個々の次期の「給与・処遇」を会社が決定していくために、仕事貢献レベル等の必要データを収集する
背景	「年功主義・一律人事」の下で発生した「人事評価」の考え方	「職能資格制度」等の格付け制度を適正に運用していくうえで発達した考え方	「目標管理」等のマネジメントプロセスの一環としての考え方	近年の処遇制度の転換に従いクローズアップされた考え方

たがって給与制度が改められてきています。そのような給与制度の下では、いかに社員個々の「貢献レベル」を的確に評価するかが重要ポイントになります。つまり、単に「A1：褒賞ランク付け」「A2：人材レベル格付け」という意味を超えた「A4：処遇決定データ」としての人事評価の必要性がクローズアップされてきたわけです。

2．今の時代の評価の構造

「今の時代の評価」を考える前提

　前述したように、自社の「人事方針・戦略」がどのように位置づけられるかで、人事評価の目的は異なります。ただし、あまりに極端な「人事方針」でない限りは、人事評価の意味・目的は、先の「4種類」の全てが含まれているといってもいいでしょう。しかし、そこに分かりにくさが生まれ、「人事評価」に対しネガティブな印象を持ってしまう原因があるわけですから、ここは明快に「今の時代における評価の構造」を整理しておく必要があります。

　今の時代の評価を考えていくうえでは、次のような4つの前提をと

らえておくことが必要でしょう。
①「いい仕事」を職場で展開するために、仕事の「振り返り評価」は不可欠なマネジメントプロセスである。
②「振り返り評価」を「人事評価」に展開することで、次期の「成果追求」と「人材開発」を促進する。
③「人事処遇制度」は、職場で「いい仕事」を行うサポートシステムとして存在する。
④「人事評価」の結果を会社の「処遇制度」に反映することで、「成果追求」と「人材開発」を強化する。

「いい仕事」をするために、「振り返り評価」は不可欠なマネジメントプロセス

　まず、第一番に、「何はともあれ、会社では社員一人ひとりが『いい仕事』をすることを期待されているのだ」ということを前提としてとらえることが重要です。そして、その「いい仕事」を行うことをマネジメントするためには、仕事の「振り返り評価」を行うことは不可欠なプロセスであると位置づけることができます。

　会社全体が高い業績を上げていくうえで、社員一人ひとりは、所属する職場においてそれぞれに課せられた「役割」を果たしていくことが求められています。そして、そのためには、「期待された役割を果たし、いい仕事をすることができているのか」「期待された仕事をするために、今、何が課題になっているのか」を的確にとらえることができていなければなりません。そこで、その上司に当たる者が「評価」を行い、適宜本人とすり合わせをすることになります。とくに、新しい期を迎え、新たな役割・目標を設定するころは、前期の仕事の振り返りを行うことが必ず重要になってきます。

　つまり、この「期末における仕事の振り返り評価」が、「上司の評価」の第1ステップです。

「振り返り評価」を「人事評価」に展開して、「成果追求」と「人材開発」を促進

　ところで、「振り返り評価」を「今期の仕事を振り返って、次期のレベルアップを目指す」ということだけで完結してしまっては、組織リーダー（上司）としては不充分です。なぜならば、組織リーダーに期待される「職場業績」は、今期・来期といった短期間なものにとどまらず、３年後・５年後・10年後、できれば永遠に業績を上げ続けていくことが期待されているからです。また、「長期間」ということは同時に、担っている役割を向上させていくことの必要性にもつながります。変化し続ける仕事環境の中で、高い業績を上げ続けていくためには、常に、一段階高いポジションに立つことを目指さなければなりません。

　その意味で、上司がメンバーに対して望むことは、「さらに高い成果を上げていくこと追求してほしい（成果追求）」、「自らの役割レベルをさらに向上してほしい（人材開発）」、大きくはこの２点となります。そして、その視点から「いいぞ、良くできている」「もう少し、できるはずだ」「次は、こんな役割も担ってほしい」といったメッセージを示すことによって、メンバーの「成果追求」と「人材開発」を促進していくことができます。つまり、「振り返り評価」の内容が明快なメッセージとなるように、「業績結果のレベルの評価（業績評価）」と「人材としての成長レベルの評価（人材評価）」という２つの視点から評価を行うことが求められます。「人事評価」の意味・位置づけはここにあると考えられます。

「人事処遇制度」は、職場で「いい仕事」を行うサポートシステムとして存在

　さて、それでは、今の時代においては、どのような考え方で社員の「人事」を行い、どのような位置づけで「人事処遇制度」が構築されていると考えるべきなのでしょうか。もちろんさまざまな考え方があるのでしょうが、ここでは、その解答として、「人事は、職場で『いい仕事』を最大限に行っていくことを目的に実施され、『人事処遇制度』は、そのサポートシステムとして存在する」という考え方を提示したいと思います。

　「人事処遇制度」に限らず、あらゆる「人事制度」は、もちろん職場で「いい仕事」をすることと無関係に存在するものではありません。最も合理的にチームワークが発揮できるような職場単位の構築のために、「組織規程、職務分掌規程」といった制度が存在します。職場内の業務進行がスムーズに行われるために「職務権限規程」があります。適材適所を実現し、職場に期待した成果を追求しやすくするために、「異動・登用、人事ローテーションに関する制度」を整備しているところも多いでしょう。「給与制度」や「等級制度」といった「人事処遇制度」も同様に、職場で「いい仕事」を行うためのサポートシステムであると位置づけることができます。

　「人事処遇」を決定していくためには、何らかの「基準」が必要です。「人事処遇」は、以前のように、「誰もが一律の決められた路線」ではなくなってきています。「給与は仕事の貢献に応じた報酬」であり、多くの社員が、「貢献が高ければ給与は高く、低ければ低いもの」という認識に立っています。したがって、この「貢献度」が「処遇」を決定していくうえでの「基準」になります。

　社員の「貢献度」は、一般的には、「社内において高い『役割』を担い、期待される『成果』を出している」ということで見ることができます。つまり、「社員個々が上げた『成果』のレベル」と「社員個々

が担っている『役割』のレベル」の２つが、会社が社員の処遇を決定していく「基準」としての大きな要素となります。そして、この「基準」に基づいて「処遇」を行うことが、職場で「いい仕事」を行うためのサポートシステムとして機能すると考えられるのです。

「評価」の結果を「処遇」に反映することで、「成果追求」と「人材開発」を強化

　さて、読者の皆さんは既にお気づきだと思いますが、会社が社員の「処遇」を決定する「基準」となる２つの要素である「社員個々が上げた『成果』のレベル」と「社員個々が担っている『役割』のレベル」は、前述の職場の上司の「振り返り評価」における「さらに高い成果を上げていくこと追求してほしい（成果追求)」ということと、「自らの役割レベルをさらに向上してほしい（人材開発)」ということと同じ視点に立つものです。その意味では、「業績結果のレベルの評価（業績評価）」と「人材としての成長レベルの評価（人材評価）」という「人事評価」は、上司のマネジメントとして、社員の「成果追求」と「人材開発」を促進すると同時に、会社が社員の「処遇」を決定していくうえでの「基準」としても活用できるものといえます。

　したがって、もし、上司の「振り返り評価」と会社の「処遇結果」に大きな矛盾があったとしたらどうでしょう。「上司は褒めてくれたが、会社としての処遇結果は悪かった」もしくは、「上司には叱られたが、会社は厚遇してくれた」…。これでは、評価したことの価値が大きく減じられてしまうではありませんか。そこで、この「上司」による「振り返り評価」と会社の「処遇」との間には整合性があることが求められます。そして、そのためには、「振り返り評価」に基づいて「人事評価」を行っていく際に、会社としての共通の基準によって行うことが必要となります。

　「給与」は、「いい仕事」への「動機づけ」を行うことに有効に機能

するものと考えられます。「期待されている成果を出していくことができて、「業績評価」がよければ給与（賞与）が上がるということであれば、当然としてそのことに動機づけられることが想定できます。また、「人材評価」が高いことで「等級」が昇格するのであれば、その昇格を目指して、自分自身のレベルを上げていこうとする動機が高まると考えられます。つまり、「評価」の結果が「処遇」に反映することで、「成果追求」「人材開発」が動機づけられ、ますます強化されていくという構造で考えることができます。

ところで、「人材としての成長レベルを評価する＝『人材評価』」というと、人材としての何を評価するのかが分かりにくいですし、「人材評価が低い」となると、言葉としても受け入れがたいところがありますので、多くの企業では、それぞれが重要視する要素に従って、「役割評価」「行動評価」「職能評価」といった呼び方をしています。これらは、いずれも各企業が成長レベルを段階付けするうえでの「等級制度」に基づくものですから、それらを総括して「等級評価」といっている場合が多いかもしれません。そこで、本書では、「等級評価」という言葉を使って話を進めていきます。

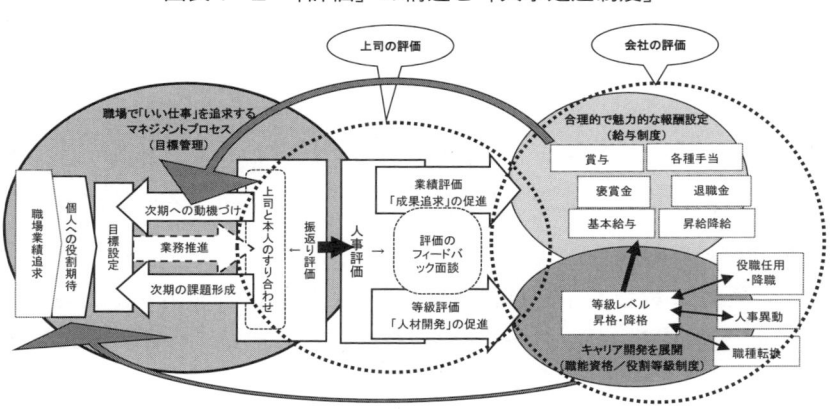

図表1-2　「評価」の構造と「人事処遇制度」

処遇決定のために「評価」を行うのではなく、「評価」の結果を処遇に反映させる

　以上のような、「振り返り評価」と「人事評価」、そして、「処遇」の関係の位置づけは、実は、大きな発想の転換を意味するものです。なぜならば、これは、「『評価』は、処遇決定のために行うのではなく、『評価』の結果を処遇に反映させる」という構造を示すものだからです。「そんなこと、当たり前じゃないか」と思われるかもしれませんが、皆さんも改めて考えてみてください。現在運用されている多くの「人事評価制度」は、「処遇決定のために評価を行う」という構造に基づいて構築されているということに気がつかれるはずです。

　たとえば、現状の「人事評価制度」では、「全社員にとって公平・公正であること」といった視点を最重要視しています。そして、そのために、誰に対しても求められる「評価要素」や「評価ウエイト」を設定し、「有利・不利」といった印象を持たれないようにしています。しかし、これは、「処遇決定するためにいかに評価するか」という構造からの発想だからこそ持たれる視点です。「職場の評価をいかに処遇反映させるか」といった構造の下では、「この社員については、何を褒めることが大事なのか」という発想から評価・処遇反映を考え、合理性と本人の動機づけを重要視しますから、最大公約数的な「評価要素」はあまり意味のあるものではありません。「全ての社員にとって公正・公平」であることも、かえって邪魔になることさえ出てきます。

　ところで、マネジメントプロセスとしての「振り返り評価」は、当然ながら、仕事の当事者（本人）と職場の直属上司がその評価責任者であり、それに基づく「人事評価」は、「上司の評価」といえるものです。それに対して「処遇決定」の責任者は経営者であり、上司はその評価責任を負うものではないでしょう。つまり「会社の評価」です。それでいて、この「上司の評価」と「会社の評価」はきちんと連

図表1-3 「上司の評価」と「会社の評価」

評価の種類		内容	評価者
目標管理	期末・振り返り評価	社員個々が、次期によりレベルアップした仕事に取り組むうえで、当該期に担った役割一つひとつの仕事状況について、組織リーダーとともに振り返って分析し、具体的に次期に担うべき役割や取り組むべき課題、仕事の進め方等の改善点について明確にするとともに、改めて次期の仕事への動機づけを行う	本人と上司（組織リーダー）
人事評価	業績評価（成果追求の促進）	当該期の仕事貢献度を「期待する業績レベル」に照らして評価することで、より高い成果を上げていくことを動機づけていく	上司（管理職）
	等級評価（人材開発の促進）	「人材」としての現状のレベルが、会社が求める「等級」に照らしてどのように位置づけられるかを評価することで人材開発・キャリア開発を促進する	
	処遇反映	会社が社員個々の「等級」「給与」といった「処遇」の決定・変更を合理性・納得性を持って適正に行っていくために、当該期の仕事貢献度（業績評価）や人材としてのレベル（等級評価）についての情報を活用する	会社

動していることが求められます。

「今の時代の評価の構造」を「上司の評価」と「会社の評価」といった2つの視点から単純化して整理することはできましたが、そこに、難しさはどうしても残ってしまうようです。

3．評価における管理職の役割

管理職の使命は「職場業績」を追求すること

「管理職とは、部下の人事管理を行い、評価を行う立場の人」と思っている人も多いかもしれません。しかし、これは正解ではありません。前にも述べました通り、現在の経営環境下におけるマネジメントは「プロセス管理型」ではなく、「成果追求型」になってきているわけですから、部下の有無は管理職の条件ではありません。「管理職とは、職場に期待される業績を追求する使命を担い、そのために必要な経営資源をマネジメントする立場にある人」といったところが、現在の定

義であるといえましょう。「部下」は、経営資源のひとつの重要な要素でしかありません。つまり、管理職の仕事の構造は、「職場業績の追求のために、部下へのマネジメントの役割もある」→「部下をマネジメントしていくうえで、『人事評価』を活用する」と、とらえられるのです。

したがって、仮に「人事評価をしたくないから管理職を辞めたい」という社員がいたとしたら、それは本末転倒な誤解であり、人事上の大きな損失です。「部下マネジメント」がうまいかどうかは、今の時代の管理職を登用するうえで第一優先されるものではありません。あえていうならば、「職場業績を追求していく以上、部下マネジメントのスキルは身につけてもらいたい」といったぐらいに位置づけられるべきものです。そうでなければ、管理職のなり手などすぐに枯渇してしまいます。なり手がいなくなるような事態に陥らないためにも、まずは管理職自身の人事評価に対する思い込みを解き、必要以上の責任を感じないようにすることが重要です。

「処遇結果」の責任を現場の管理職に負わせない

さて、「上司の評価」である「人事評価」に対し、部下一人ひとりの人材としての処遇を決定していくことは「職場業績」の追求には直接的な関係はありません。当然現場の管理職には、「処遇」を決定することに対する責任はなく、最終的には雇用者である「会社・経営者」に責任があります。

「評価に納得がいかない」ということで話をよく聞いてみると、実は、「評価結果は理解できるが、処遇には納得できない」ということだったということがあります。これは、「『上司の評価』は正しいが、それを『処遇』に反映するルールが間違っている」ということを示しており、まさに、そのような「処遇制度」を構築・運用している「会社」の責任を問うものであり、上司に責任はありません。上司として

も、不適切・不合理なルールの下で、「人事評価」が「処遇」に反映されるのは困りもので、メンバーと一緒になって、「制度の改善」を訴える立場に立ってもいいわけです。

よく新任管理職を対象とした「評価者研修」の場で、「部下の給与の責任が私の肩に掛かっていますから…」といった発言を耳にしますが、これは悲しい誤解です。そして、このような誤解は「成果主義賃金」の考え方が良くも悪くもマスコミに喧伝されて以来、かなり浸透しているような印象です。考えてもみてください。プロ野球選手の年俸の決定に、チームの監督が大きく関わることはありません。もちろん、選手たちには気持ちよくプレーしてもらいたいと願いますから参考意見はいうでしょうし、必要なデータも提出するでしょう。しかし、年俸を決めるのは球団（経営者）です。監督（現場の管理職）に求められているのは、チームが試合に勝って優勝（職場業績を追求）することです。

管理職としての立場によって「処遇決定」に対する責任は異なる

もちろん、「『処遇決定』の責任は『職場の管理職』には全くない」といい切るものではありません。なぜならば、前にも述べました通り、「職場業績を追求する」という管理職に期待する「使命」には、「短期的」および「自職場」のみの業績ではなく、当然「長期的・全社的視点」も含まれているからです。つまり、職場の管理職には「今期だけでなく来期も、再来期も、5年後も、10年後も…」「自部署よりも部門、事業部、全社…」といった視点を持って「職場業績」の向上を考え、「会社を経営する立場」になって、部下をマネジメントすることが期待されています（「プロ野球の監督」の立場よりも、企業の管理職のほうが長期的・全体的なマネジメントが求められているといえるでしょう）。

この「長期的・全社的視点での職場業績追求」のためのマネジメン

トについては、管理職の中でも立場によって責任・権限の範囲に差を持たせていると考えることができます。例えば、「グループ・リーダー」「プロジェクト・リーダー」といった流動的に変更・改廃が予想されるような職場を任されている管理職に、長期的な視点でマネジメントを期待することは難しいでしょう。いつまで自分が上司であるかということが不安定な中では、部下に対して長期的な視点は持ちにくいものです。逆に「本部長」「事業部長」といった会社の根幹となる組織を任されている管理職の場合は、より長期的かつ広範囲な視点で「人材としての評価」を行い、計画的に「人事・処遇」を考えていく必要があると考えられます。

　もちろん、「給与」については、微妙な利害関係が絡み、相当高い視点から考えていく必要があります。管理職が「給与」を直接決めるのではなく、社員が納得できるような給与決定の明快な仕組みを持っていることが必要です。そして、管理職それぞれの立場に対し、どこまでのレベル・範囲の「処遇」の決定を任せていくべきか、その責任・権限を明確にルールとして整理しておくことが重要であると考えられます。

図表1-4　管理職の立場と「処遇決定」の権限例
（○：評価責任を担う、△：一次評価を実施、×：評価権限無し）

処遇区分	処遇の内容例	プロジェクトリーダー 一過性の高い現場組織単位の管理職	課長 固定的な現場組織単位の管理職	部長 複数のグループ・課を統括する管理職	事業部長・本部長 全社の基幹構造組織の統括管理職
給与	褒賞金	△	△	○	○
	賞与	×	△	△	○
	定期昇給	×	△	△	○
等級	一般職層の昇格・降格	×	△	△	○
	管理職層の昇格・降格	×	×	△	△
組織人事	異動・配転	×	△	○	○
	役職任用・降職	×	△	△	○
採用・雇用	本採用・契約更新	×	△	△	○
	雇用条件の変更	×	×	△	○
賞罰	表彰者選定	△	△	△	○
	懲戒	×	×	△	△

第 2 章

上司の評価

第1節 マネジメントプロセスとしての「振り返り評価」

1．上司の行う「振り返り評価」の意味と構造

「振り返り評価」とは、仕事の「分析」と「総括」を行うこと

　「人事評価」の機能の中で現場の管理職が重要視すべきことは、マネジメントの一環として仕事の「振り返り評価」を行って次期のレベルアップに活かしていくことであり、「部下の処遇を決めること」ではない、ということを前章で述べました。

　「振り返り評価」の意味は大きく2つに分けて考えることができます。

　その1つは、期中の仕事ぶりを分析していくことで、改善すべき問題や新たに取り組むべきテーマを発見していくことにあります。つまり、「See（振り返り）」を行うことで次期に取り組むべき課題を明確化し、新たな「Plan（計画）」と「Do（実行）」につなげていく、まさに「マネジメントサイクル（Plan-Do-See）」を回していくプロセスそのものであるといえます。そのことからいうと、「分析評価」もしくは「課題形成評価」と呼べるでしょう。

　もう1つ、「振り返り評価」には、期中の仕事ぶりを全体的に総括し「よくやった」のか「まだまだ」といえるのかを明らかにすること

で、本人の次期の仕事への動機づけを図っていくという意味もあります。本質的に人間は褒められれば嬉しいし、低い評価はできるだけ避けたいと願うものです。部下の持つそのような「承認・自尊の欲求」に応え、上司としての評価を明快に提示することで次期の仕事にやりがいを持たせ、より高いレベルを目指していこうとする「動機づけ」が期待できるのです。これは、「総括評価」もしくは「動機づけ評価」と呼べるものです。

　これら「課題形成」と「動機づけ」は、どちらかだけで機能するものではありません。上司の行う「振り返り評価」の両輪として２つの意味が充分に発揮されて、次期の仕事のレベルアップにつながっていくものであると考えられます（図表２-１-１）。

仕事の「成果」と「プロセス」を分析し、「課題形成」を図る

　次期に取り組むべき課題を明確化し、レベルアップにつなげていくための「分析評価」を行っていく切り口としては、仕事を「成果」と「プロセス」の２つに分けてみると分かりやすいと思います。

　「仕事の成果」の状況を分析的にとらえ、「○○は高い成果が見られ

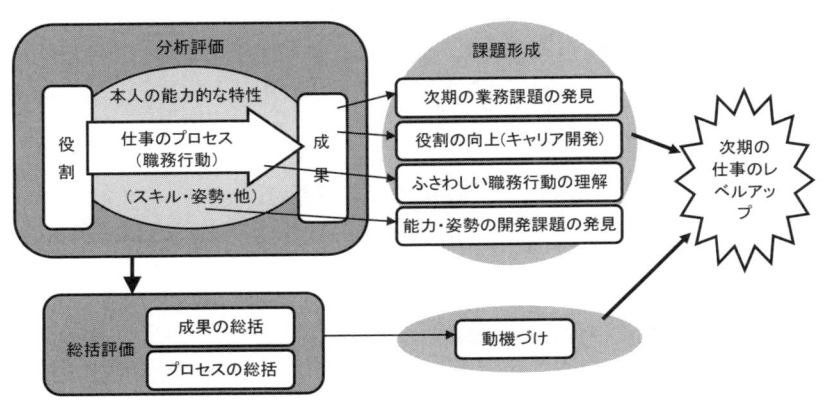

図表２-１-１　上司の行う「振り返り評価」の構造

るが、××はうまくいっていない」であるとか、「○○の課題を解決しなければ、高い成果が出ているとはいえない」といった評価をすることで、そこに、次期に取り組むべき「業務課題」を形成していく視点が出てくるのです。また、「成果」についての「分析評価」を行うことを通し、次期に期待する「役割」そのものをよりレベルアップさせていく目安をつけていくこともできます。「この役割で高い成果を出していけるのだから、次期はこのことについては新たな役割を付加しよう」という視点を持って「課題形成」を行うことは、人材開発・キャリア開発を推進していくうえで非常に有効です。

　「成果」に対して「プロセス」の評価は、「行動評価」ともいえるものです。高い「成果」を出していくためには、その「役割」にふさわしい具体的な「職務行動」を発揮したかどうかが重要です。したがって、期中の仕事のプロセスを振り返り、「こういうやり方をしたほうがいいのではないか」「このことをしなかったことが、うまく成果が出なかった原因なのではないか」といった切り口から課題を形成することができます。さらにその「職務行動」について深く突っ込んで、その行動をとれるだけの「職務遂行能力（知識・スキル）」を持っているか、適切な「姿勢（行動特性・意欲・志向・価値観）」で仕事に臨んでいたか、といった「本人の能力的な特性」の視点から分析し、次期によりふさわしい「職務行動」を発揮していくために「どのような能力開発に取り組むべきか」「取り組み姿勢をどのように修正していくべきか」といった「課題形成」を行うこともできます。

ふさわしい「総括」を行い、「動機づけ」を図る

　「課題形成」だけではなく、「動機づけ」もまた「成果」と「プロセス」に分けて考えることができます。

　どんな「総括」の仕方が「動機づけ」につながるのかは、その人の置かれた立場によってさまざまです。例えば、新入社員には当面の

「成果」ではなく、正しい「仕事の仕方（プロセス）」を身につけているかどうかが重要視されていると考えられます。だとすると、次期に向けて動機づけられるのは「成果が高い・低い」ではなく、「よくやれているよ」もしくは「こんなやり方じゃだめだ」といった「プロセス（職務行動）」の「総括評価」でしょう。そして、「このやり方をしていれば、必ず今後の成果に結びついていく」という一貫したメッセージを伝えることを通し、正しい「仕事の仕方」を身につけていくことを動機づけていきます。

ところが、これがベテラン層になると話は違います。「いい仕事の仕方ができているよ」といわれても今さら動機づけられるわけではありません。場合によっては、仕事の仕方について上司から云々されることがかえって動機を下げることだってあります。重要なのは「成果」として「誇るべき・褒められるべきものなのかどうか」であり、そこを上司が「いい成果が上がっている」「期待した成果には至っていない」と的確に評価し、次期に成果を出していくことを動機づけていくことに意味があります。

2．「仕事の成果」として上司が評価すべきもの

仕事の意味・目的を理解し、正しい「業績指標」を持つ

「仕事の成果」とは、単純にいえば「貢献状況」のことを指し、貢献のレベルが高ければ「業績が高い」、低ければ「業績が低い」といわれます。そして「貢献」とは、職場内で分担された「役割を果たすこと」といい換えてもいいでしょう。しかし、単に「役割を果たすこと」では漠然としていますので、そのことの指標となるもの（＝「業績指標」）を設定しなければなりません。

「業績指標」を正しく設定するためには、その「役割」の意味・目的を充分に理解し、深く斟酌する必要があります。例えば、「あるデー

タを毎週集計し、表を作成する」という業務を任されていたとします。しかし、このような表現では単に「作業」の説明に過ぎず、「役割」を明確にとらえているとはいえません。「誰が、何のために活用しているのか」といった意味・目的が理解されて、初めて「役割」の表現といえます。「営業マンが1週間の行動計画を立てるうえでの先週の行動記録」であるとか、「納品状況を顧客の担当者と確認しあうための資料」といった意味・目的が分かれば、「貢献するための指標」が見えてきます。「絶対に数字のミスはいけない」「できるだけ早く提出した方がいい」「表の見やすさが大事だ」といったことが、この「役割」を果たすうえでの「指標」となることが分かります。

業績の追求を動機づける「目標」を明快に設定する

ただし、この「業績指標」は仕事の成果の方向を示したものにはなりますが、「成果の追求」を動機づけていくうえではいささか物足りません。「どのレベルまでやれば、よくできたといえるのか」といったものが示されていないからです。つまり、「目標」の設定です。「目標」とは、「成果の追求」に向けて実際の行動を起こしていくうえでの動機づけ要因になるもののことをいいます。現在多くの企業で「目標管理」が導入・浸透してきていますが、その基幹をなすものが、この「動機づけ要因となる目標を設定すること」にあります。

いい目標の設定には、「①目的が明快（何のために）」「②時限を設定（いつまでに）」「③具体的な達成イメージを設定（どこまで）」そして、「④達成することにやりがい・魅力が感じられる」という4つの要素を持っていることが条件になります。

「何のために、いつまでに、どこまでやるのか」といった明快な目標を持つことができれば、「それでは、まず何に手をつけようか」といった具体的なアクションを喚起することができます。「④達成することにやりがい・魅力が感じられる」という要素については、いささ

か工夫が必要です。なぜならば個人によって魅力を感じられるものには違いがあるからです。若手であれば確実に成長している実感が持てるような目標でなければやりがいはないかもしれませんが、ベテランであれば成長というよりは他者に対して明らかな存在感が感じられるようなレベルの目標であることが重要です。

また、「達成感」が持てる目標であるかどうかということも、本人にとってのやりがいに通じます。そうなると、「簡単に達成できる低いレベル」も「絶対に達成不可能な高いレベル」もいい目標とはいえません。精一杯の努力をしてどうにか達成できるようなレベルの目標だからこそ、達成したときに喜びを感じることができるのです。

いずれにしても、個人の事情を適切に判断しないと「やりがい・魅力」が感じられるような目標設定は難しいと考えられます。

「個人」よりも「職場業績」「全社業績」が優先することを明示する

しかし、ここで忘れてはいけないことは、「個人の役割」は「職場の業績」を追求していくうえで設定されているものであるということです。より丁寧にいえば、「個人の役割とは、職場に期待されている業績を追求していくうえで推進すべき業務を職場内のメンバーで合理的に分担したもの」であり、どんな役割も一つひとつがすべて職場業績の追求につながっているのです。したがって、当初の「役割・目標」を何が何でも達成することを求められるのではなく、状況が変わり職場に期待される成果が変われば、当然個人に対する期待も変わってきます。ですから、常に「個人」よりも「職場業績」が優先することを意識しないと、「一生懸命に仕事したけれど、全く貢献していない」という事態を招きかねません。

つまり、「職場の業績」に対して具体的にどのような意味を持つものであるのかを明快に整理して「個人の役割」を設計することが必要です（図表2-1-2）。

図表２-１-２　職場の業績と個人の役割の関係（例：営業部）

職場の使命・任務	職場目標	職場の役割分担				
		○マネジャー	△さん	×さん	□さん	◎さん
クライアントに対して、満足度の高いサービスをより多く提供することで利益を創出し、今期の全社の経常利益の向上に貢献する	部として期待される以上の粗利額を獲得する 粗利目標○○円	部内の全クライアントの売上・コストを管理し、部の予算達成に向けて各クライアントに対する必要な支援・指導を行う 既存クライアント以外で計○○円以上が見込める新規開発を推進	Aクライアントおいて、○円の粗利獲得 ○円による○業務補佐	Bクライアントにおいて、○円の粗利獲得 ○円マネジャーとの開発に○円を配当	アライアンと新規クライアントにおいて、○円の粗利獲得 アライアント新担当おいて、○円を獲得	アライアントにおいて、○円の粗利をりおける中利獲得 アライアントエンドおいて、○円を粗利として獲得
	水準以上の生産性を確保することによって、全社の経常利益を稼ぐ 一人当たりの平均月次粗利額：180万円					Bアライアント×さん進行で、○円を獲得 B○プロジェクト×さん進行の開発を補佐
長期的にクライアントに対して満足度の高いサービスが展開できるよう、経営資源の開発および仕事の進め方の向上に貢献する	今後につながる新しいクライアント窓口の開発 1,000万円以上の大型新規：年間5件	新規開発を中心的に推進×さんの活動を補佐	○マネジャーを補佐し、新規推進：2件以上の開発	提携先窓口の社ネHとマネジャー・ジさんと開発、ユーザー新規2件以上開発	○マネジャーを補佐し、新規推進：1件以上の開発	必要に応じ、ジネ・マ・×新規開発ジャー・×ンさんの業務開発作業をサポート
	部内の人材および組織力の育成・強化 来期スター6人目指す時体制を作る	新しいレギュラークライアントを作ることで、新人の受け入れ体制を作る	○さんの担当と立ち上げクラと育てる支援	◎さんのクラと役割を促育てBクラとひろげ上進	Cクラとひろようでコンとできるなる	Bクラとあけとレベルアップを行う
	仕事の進め方の健全化・効率化の推進 直接営業経費率2.5%以内	外注先の見直しを図る 接待費の管理強化	Aクライアントの原価率10%達成	Bクライアントの粗利率15%を達成	Cクライアントの粗利率10%達成 Dクライアントの粗利率15%を達成	Eクライアントの粗利率20%を達成

　もう一段視点を高くし「職場業績」と「全社業績」との関係を見ていくうえでも同じことがいえます。会社は全社としての業績を追求していくうえで中長期的な戦略を立案し、その戦略に即した「使命」を持たせて職場組織を編成します。そして、その「職場使命」に基づき具体的な戦略・戦術を各職場に展開して、職場ごとの「業務計画」が立案されます。もちろん、職場ごとの「業務計画」を的確に推進できたかどうかが「職場業績」の中心になるわけですが、仮に全社の戦略が予定通りにいかなければ各職場に展開する戦略・戦術も変更・修正が必要になり、当初の職場の「業務計画」は当然意味を持たなくなります。つまり、「全社業績」は「職場業績」に優先し、「職場業績」は「個人業績」に優先するのです。

「長期的業績貢献」の視点を持ち、「経営資源の開発」を役割としてとらえる

　「全社業績」は「職場業績」に優先し、「職場業績」は「個人業績」に優先するのですから、全社・職場の「業績」をどのようにとらえているかによって、個人の「業績」の視点も変わってきます。そして、そのことから考えると、当然、全社や職場の「業績」を正しくとらえることが重要です。

　会社は、短期的な利益の創出のみを期待されているのではなく、来年も再来年も、5年後・10年後も、できれば未来永劫、社会・市場から存在価値を認められ、「いい仕事」を続けていくことが期待されています。つまり、長期的な視点から業績追求していかなければならない存在であり、当然、社員個々にも長期的な視点から組織全体の業績に貢献していくうえでの「役割」が期待されています。

　では、「長期的業績貢献」の視点から「現状の役割」を考えていくとは、どのようなことでしょう。うっかりすると見落としてしまうかもしれませんが、実をいうとそれほど難しいことではありません。要は、今後長期的に活用すると考えられる各種経営資源を開発・獲得していくことです。つまり、組織全体としての成果を追求していくうえで、将来の方が今よりも効果的・効率的になっていくことに貢献していくということです。

　長期的に活用する経営資源としては、「施設・設備」や「資金」「人材」といった目に見えるものから、「業務ノウハウ・スキル」や「お客様との信頼関係」「ブランドイメージ」といった無形のものまでさまざま考えられます。それらを「開発・獲得」していく、つまり、「人材開発・育成」「業務プロセスの健全化」「新技術・ノウハウの獲得」といった「役割」は、まさに、組織全体が長期的な視点で業績を追求していくうえで重要なものであり、この「役割」を高度に果たせたとすれば「業績」が高いといえるでしょう。

逆に、長期的な視点から会社の「業績」をとらえることをせず、「短期的な利益の創出」ばかりを追いかけていたとしたらどうなるでしょうか。社員個々も近視限的な業績の追求しかできなくなり、極端にいえば、「若手社員が退職したけれど、そのことで経費が減って良かったじゃないか」「本当は、このやり方は法律違反なんだけれど、赤字になることを考えれば、仕方が無いよね」といった判断基準に陥りかねず、その組織の将来はまったく期待できないものになってしまいます。

　昨今、ニュースを賑わす企業の不祥事の中で、「職場・個人に対し『成果』を求めすぎたばかりに、…」といった経営トップの発言を耳にすることがあります。これは、「成果」という言葉の使い方が間違っています。正しくは、「当社では『短期的な利益の創出』ということのみを『成果』として追求してしまったばかりに、…」というべきであり、その責任の所在が経営トップにあることは明らかです。

3．「仕事のプロセス」として上司が評価すべきもの

「成果」を出すために、ふさわしい「行動」を発揮する

　「仕事の成果」だけではなく、「仕事のプロセス」をどのように見るかについても議論する必要があります。「プロセス」とは、途中経過における活動のことをいい、「成果」が出るかどうかは、正しい「プロセス」であったかどうかによるわけです。ただし、厳密にいうと「プロセス」の中には「本人の行動（職務行動）」と本人以外の「環境的（上司も含む）な活動」があり、「本人の行動」が正しくても「環境的な活動」によって阻害され「成果」が出ないことも、「本人の行動」がふさわしくなくても、上司のカバーによって「成果」が出ることもあります。

　しかし、特定の「役割」において「成果」を出していくことについては、今期に限って期待されているものではありません。今期も来期

もその「役割」を担っている限り、高い「成果」は求められます。したがって、現状においては「成果」に結びついていないとしても、適正な「プロセスの職務行動」を発揮できるようになることは必ず期待したいところです。

　例えば、営業マンが「新規顧客から受注する」という「役割」で「成果」を上げていくためには、「訪問先のリストを準備する」「アポイントを取り、訪問する」「相手の状況・ニーズを聞く」「商品提案書・見積書を作る」「商談を進め、相手の発注の決断を導く」「受注契約を行う」といった手順があり、その手順一つひとつにふさわしい「行動」が想定されます。具体的にいえば「より受注見込みが高いリストを入手する」「より相手がこちらを受け入れやすいアプローチによって、訪問のアポイントを取る」といった「行動」です。

　これを分析的にとらえると「彼が期待するほど受注できないのは『顧客への訪問』の数が少ないからだ」「『顧客への訪問』の数が少ないのは『アポイントを取るためのアプローチに工夫が足りない』からだ」ということになります。このように評価できれば「彼の課題」は明確です。「次期は受注の成果をより高めていくためにより有効なアプローチ方法を構築・展開し、顧客への訪問数を多くしていこう」ということになります。

ふさわしい「行動」を発揮するために「能力開発」を行う

　「本人の行動」の解決すべき課題を明確にしたことで本人が気づき行動が改善されれば、次期の「成果」につながると考えられます。しかし、本人が気づき意識したからといって、全てが「即、行動改善」へとつながるものではありません。「次期は受注の成果をより高めていくためにより有効なアプローチ方法を構築・展開し、顧客への訪問数を多くしていこう」という評価を受けても、「じゃあ、どうやれば有効なアプローチ方法を構築・展開できるのか」といった、もう一歩

突っ込んだ課題を考えていかなければならないのです。

　特定の「行動」をとるためには、そのための「能力的な特性」を本人が備えていることが必要です。「有効なアプローチ方法を構築・展開する」ためには、「電話やメールといった既存の方法以外のさまざまなアプローチ方法やその使い方を知っている」といった「知識」的な側面や「これまでやってきた方法から改善点を見つけることができる分析力」「先輩や同僚からより良い方法を聞いて回る情報収集力」といった「課題解決力」が必要でしょう。場合によっては、「一度失敗してもめげずにいろいろとトライしてみることができる」といった「精神力」が大事なのかもしれません。いずれにしても、行動を発揮することができない原因となっている「本人の能力的な特性」を評価・分析することが重要です。

　そして、その評価・分析された原因を解消し、必要な「能力開発」を行うことによってふさわしい「行動」の発揮を実現するのです。「先輩や同僚からより良い方法を情報収集する」という「能力開発」ができれば、「訪問のアポイントをうまく取る」という「行動」が発揮でき、ひいては「受注する」という「成果」が上がることが期待できます。そして、その「能力開発」を行っていくための手段として、情報収集するための「職場会議」や「勉強会」の開催、優秀な先輩を「コーチ」としてつけるといった「課題解決策」を展開していくことを考えていきます。

　　図表2-1-3　仕事の「役割・成果」「行動」「能力的な特性」の関係

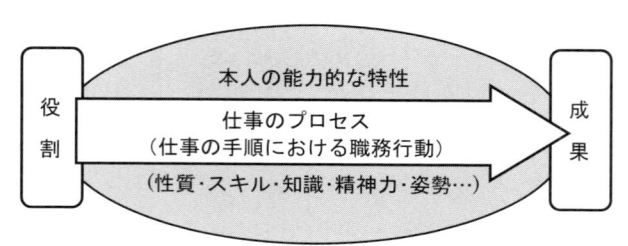

適正な「課題」の形成力は、上司にとって必要な「指導・育成力」

　ここまで「成果」→「行動」→「能力的な特性」の関係を示し、そこでいかに適正な「課題」を形成するかが重要であることを紹介してきました。しかし、ここで理解していただきたいのは、最終的に期待したいのは「成果」を上げることだということです。そして、「成果」を上げる手段としてふさわしい「行動」を発揮し、また、ふさわしい「行動」の発揮のための手段として必要な「能力開発」を行うという構造です。したがって、「成果」を上げるために発揮すべき「行動」として評価・分析したものが適正かどうか、その「行動」を発揮していくために開発すべき「能力的な特性」として評価・分析したものが適正かどうかは非常に重要です。評価・分析したものが適正でなければ、いくら「能力開発」に取り組んでも「行動」の発揮につながらないし、「行動」が発揮できるようになっても「成果」にはつながりません。やっても無駄な「勉強会」に、先輩をつき合わせてしまっていることになります。

　いかに適正な「行動」の課題を形成できるか、いかに適正な「能力的な特性」の課題を形成できるかは、まさに上司の力量といえます。逆にいえば、そのような力量があるからこそ上司なのです。ほとんどの場合、上司はメンバーよりもより高い視点・幅広い情報から客観的に「役割」を見ることができます。また、上司もかつては現在のメンバーと同じ立場で同じ「役割」を担っていたことがあり、多くの経験からどのように「行動」すればうまくいくのか知っていることも期待できます。

　もちろん、現状の管理職の中には「行動」や「能力」を的確に評価・分析できない人も多いと思われます。どんな状況においても「お前、気合が足りないんじゃないのか」の一言で片付けてしまうような人も見受けられます。しかし、上司は管理職として「職場の業績」を追求し、メンバー個々のレベルアップを図らなければなりません。い

かに的確に評価し、適正に課題形成ができるかは、上司にとって是非とも開発していきたい「指導・育成力」であるのです。

「是非開発していきたい」といっても、残念ながら上司の「指導・育成力」に歴然とした差があることは事実です。そして、この差はどうしても解消したいものです。そこで、多くの企業では、この差をカバーし、どの上司もある程度の指導・育成を行っていくことを確保するため、「人事評価制度」の中で、「行動評価」「能力評価」といった「評価区分」を設定するようにしています。詳しくは、次の節で紹介します。

４．上司と本人による「振り返り評価」のすり合わせ

「振り返り評価」の主体者は「上司」と「部下自身」

期末に上司が部下の「振り返り評価」を行う意味は、「次期の仕事をよりレベルアップさせるために、取り組むべき『課題の形成』と仕事への『動機づけ』を図ること」と述べましたが、「課題の形成」にしても「動機づけ」にしても、本人が充分に理解・納得・共感することがなければ意味を持ちません。そして、この「理解・納得・共感」に導くために、上司と本人とによる「面談」によってすり合わせを行う機会を持つことが有効です。

ところで、「振り返り評価」についてより深く考えてみますと、その主体者はなんといっても部下自身です。当該期の仕事の成果とプロセスを振り返って「何ができて何ができなかったのか、次期にはどんな成果を追求すべきか」「次期により高い成果を上げていくために、自分自身の職務行動をどのように改善すれば良いか」といった「課題形成」を自らが行うことは「自律的に仕事を進めていく」ことを促進するという意味からも非常に重要です。

また、「今期はよくできた。次期もこの調子でやっていこう」「次期

は今期の汚名を返上するぞ」といった形で、当該期の仕事に自ら決着をつけ、新たな意欲を持って次期の仕事に臨んでいくこともおおいに意味があります。

　一方で、職場の管理職には「職場全体で成果を出していく責任者として機能し、職場業績の追求のために、メンバー個々の役割を設計する」「メンバー個々がそれぞれの役割を果たし、高い成果を追求していくうえでの支援・指導を行う」「メンバー個々の成長を促進していくことで、中長期的な視点から人材としてレベルアップを図っていく」といった役割があります。したがって、「上司」にも「本人」と同様に主体的な立場から「振り返り評価」を行い「次期の仕事のレベルアップを図る」という責任があります。

「上司評価」と「自己評価」を並行し、相互の主観をつき合わす

　「振り返り評価」において、「自己評価」は「上司評価」とともに重要な意味を持ってはいますが、「評価の信頼性」という点からいえば「自己評価」は次のような困難が伴うため、「上司評価」の方が優れているといえます。

- ・自分自身の狭い視野や限られた範囲でしか状況を把握できず、客観的な事実に基づく評価ができない場合がある。
- ・期待されている役割や設定した目標の理解が不充分で正しい評価基準を持てず、妥当な評価ができないことがある。
- ・高い視点や広い視野から自分自身の位置づけをとらえることが難しいため、中長期的・全社的な意味からの成長を考えた評価を行うことが難しい。

　ただし、このような「自己評価」の欠点は、レベル差はあるものの「上司評価」にもある程度当てはまります。つまり、上司だけの視点による評価では「上司の主観」や「一方的な理解による評価基準」、「偏った価値観からの成長促進」であったりすることも考えられます。

そこで、「振り返り評価」では、「自己評価」と「上司評価」をそれぞれ行ったうえで個別に「すり合わせ面談」の場を持つことが有効であると考えられます。面談の場でそれぞれの考えを充分にすり合わせていくプロセスを通して「事実を確認」し、「評価基準（目指すべき仕事成果の指標）を明確化」し、そして「今後の成長の方向について共有」していきます。

「上司評価」の事前に「自己評価」を行う

「自己評価」と「上司評価」は、一般的には「自己評価」を行った次のプロセスとして「上司評価」を行うほうが有効であると考えられます。なぜならば、「自己評価」の内容を見ることで上司が自分自身の「事実の誤認」や「評価基準のズレ」に気がつくことができ、より信頼性の高い評価を行うことができるからです。このことは、何も「『自己評価』に基づいて『上司評価』を行うべきである」といっているのではありません。あくまでも「上司評価」は、上司としての考えを示すことです。ただし、もし自分が評価を行っていくうえで少しでも疑問があるならば、そのことをきちんと解明したうえで評価をしなければなりません。「自己評価」を見ることは、疑問解明を行う切り口として充分に活用することができるのです。

また、「面談」ですり合わせを行う前に、「自己評価」の内容について上司が目を通しておくことのメリットも大きいと思われます。つまり、本人の認識や満足度を知ることによって「指導・支援を行う切り口の目安をつけることができる」からです。

「なるほど、彼はここを誤解しているんだ」「今回の成果に、彼女自身はけっこう不満なんだ」ということを面談の前に上司が把握することができていれば、そのことを踏まえて本人を指導・支援していく切り口を用意しておくことができます。面談に余計な時間を掛けたり、不必要な軋轢を生んだりすることなく、スムーズなすり合わせを展開

していくことが可能となるでしょう。

上司からの明快なメッセージを伝える

　それでは、どのような内容の「すり合わせ面談」を行えばよいのでしょうか。もちろん、その具体的な中身は個々にさまざまではありますし、話し方・語り口も上司・本人それぞれのキャラクターにより違いがあるでしょう。しかし、いずれにしても次期の仕事の「動機づけ」を図るとともに取り組むべき「課題形成」を行うためには、上司の考えを明快なメッセージとして伝えることが必要です。

　「動機づけ」を行う場合、具体的には仕事の「成果」と「プロセス（職務行動）」に分けて言及することが重要ですが、いずれにしても、次期に向かって「このままでいい」のか、「改善するべき」なのか、上司としての見解を明快に示します。ただし、ここでとくに「ネガティブなメッセージ」を伝えなければならない状況に際して、どのような「いい方」をすべきかについては留意する必要があります。「こんなんじゃダメだ」とストレートにいった方が動機づけられる場合もあれば、かえってやる気をなくす場合もあります。逆に相手を傷つけまいと婉曲ないい回しをしたところで、意図が伝わらなければ元も子もありません。本書は「コミュニケーションスキル」をご紹介するものではないので詳細には言及はしませんが、いずれにしても相手の人格を否定するような言動をとらず、純粋に仕事の「成果」と「プロセス」に限定して話をすることが原則です。

　また、「課題形成」を行うためには、仕事の「成果」と「プロセス」の関係を明確かつ冷静に整理して伝えることが重要となります。次期に具体的にレベルアップしてもらいたいのは「仕事の成果」ですが、そのことばかりを「課題」としてすり合わせるだけでは直接的にレベルアップにつながらない場合も多いと考えられます。「成果を出していくためには、このような仕事の仕方をする（行動を発揮する）こと

が重要なのではないか」「そのような行動を発揮していくためには、このような能力開発に取り組むべきではないか」といったように、論理的に話をし、上司の見解を示しながらも部下と一緒になって分析を進めていくように面談を展開していくことが必要です（図表２-１-４）。

図表２-１-４　「振り返り評価」のメッセージの内容

評価の種類	評価領域	メッセージの内容
動機づけ（総括評価）	仕事の成果	・今期は目標達成ができ、仕事の成果は高く、結果に満足だ。次期は、もう一段高い目標にチャレンジし、より高い成果を出していこう。 ・今期は目標達成ができなかったが、掲げた目標のレベルは高く、仕事成果は高かったといえ、結果には満足だ。次期は、是非目標を達成しよう。 ・今期は目標達成できず、仕事の成果は低く、不本意である。次期は是非挽回しよう。
動機づけ（総括評価）	仕事のプロセス（職務行動）	・今期高い成果を出せたのは、ふさわしい仕事の仕方ができたからだ。次期もこの調子でいこう。 ・今期は高い成果を出せなかったが、ふさわしい仕事の仕方はできていた。この調子でいけば、次期はきっと結果はついてくる。 ・今期は高い成果を出せたが、ふさわしい仕事の仕方であったとはいえない。次期はもっとしっかりと職務遂行しなければ、成果は出ない。 ・今期高い成果を出せなかったのは、ふさわしい仕事の仕方になっていなかったからだ。次期はもっとしっかり職務遂行しようじゃないか。
課題形成（分析評価）	仕事の成果	・今期の成果として高く評価できるのは、○○と○○だ。逆に、○○と○○はよくできていない。次期は、○○と○○を重点課題として取り組んでいこう。
課題形成（分析評価）	仕事のプロセス（職務行動）	・○○・○○といった仕事の仕方については、今期はよくできていたと思う。逆に、○○・○○といった仕事の仕方は、まだまだ不足している。次期はこれらを行動開発のテーマにしていく必要がありそうだ。 ・○○の行動を発揮していくため、次期は○○能力の開発に取り組むことから始めていくことが必要なのではないか。（能力開発課題）

第2節

「人事評価」による「成果追求」と「人材開発」の促進

1.「人事評価」の実施プロセス

会社の定めた内容にしたがって「人事評価」を行う

　「マネジメントプロセス」の「振り返り評価」とは、メンバー個々が職場内で担っている「役割」の「仕事成果」や「プロセス」を振り返ることです。「役割」は、それぞれの職場の仕事内容に応じて設定された「職場目標」を達成していくうえで、職場内のメンバー構成や上司の考え方・メンバー自身の志向等を反映して設計されます。その意味では、「仕事成果」を評価していくうえでの指標や、成果を追求するうえでの「プロセス」に求められる行動や能力については、それぞれ異なるものになりますし、時期によっても変動するものと考えられます。

　これに対し、この「振り返り評価」を「人事評価」として、今後の「成果追求」や「人材開発」の促進へとつなげていくためには、部下にとって安定的で強い示唆のあるものであることが求められます。つまり、部下自身が評価内容を的確に理解し、充分に納得・共感することができる「明快で信頼感のあるメッセージ」でなければならないのです。「明快で信頼感のあるメッセージ」という意味では、評価の要

素が上司によってバラバラで、配置転換で職場が替わったり、人事異動で上司が変更になるたびに、その評価内容の意味や考え方に頭を悩ますようでは困ってしまいます。

　そこで、「人事評価」は、会社内で足並みを揃えて実施していくことが必要になってきます。具体的には、まずは、会社としての「人事評価」の考え方を整理し、その内容が充分に反映できる統一した「人事評価票」を用意します。併せて、評価者には、その「人事評価票」の考え方と記入方法について充分に理解・習得できるよう「評価者研修」等の機会を持つことも必要になります。

「評価の信頼性」を高める仕組みを評価プロセスに入れる

　「人事評価」のプロセスについても会社として定められたものに従うことが求められます。一般的には、直属上司による「一次評価」の後に、その上司による「二次評価」、そして、二次評価者が集まる「全社調整会議」を行って、最終的な「人事評価」を決定する方法が採られています。また、「二次評価」の前に、部門の一次評価者が集まり「一次評価」の結果を持ち寄って議論する「評価のすり合わせ会議」を行う場合も珍しくありません。

　これらのプロセスは、「会社の評価」を行うためのものではなく、より「信頼性」の高い「上司の評価」を行っていくうえでの「仕組み」です。直属上司による「一次評価」の内容を、一段階高い立場である上司が「二次評価」としてチェックすることで信頼性を高める。単に二次評価者のみのチェックだけでなく、他の多くの一次評価者の視点を通して信頼性を高めていく。また、「全社調整会議」を行うことで、部門特有の偏りやくせを修正して、より信頼性の高いものにしていく。

　「信頼性を高める」メカニズムについての詳細は、次節で改めて紹介しますが、あくまでも「人事評価」は「上司の評価」であり、その

第2章　上司の評価

図表2-2-1　「人事評価」の展開プロセス例

期末・振り返り評価	・本人と組織マネジメントを担う直属上司が、期末の振り返り評価を行う
上司と本人のすり合わせ	・本人と上司による「すり合わせ面談」によって、次期のレベルアップを図る
↓ 人事評価	
一次評価	・「期末・振り返り評価」の内容に基づき、直属上司にあたる組織責任者が、「業績評価」「等級評価」の一次評価を実施し、「人事評価票」の所定の欄に記入する
評価のすり合わせ会議	・部門内で一次評価者を集める場を持ち、それぞれの「一次評価」の内容について意見交換を行い、すり合わせを図る
二次評価	・「評価のすり合わせ会議」の内容を踏まえ、一次評価者の上司にあたる役職者が「業績評価」「等級評価」び二次評価を実施し、「人事評価票」の所定の欄に記入する
全社調整会議	・全社の二次評価者を集める場を持ち、「二次評価」の内容をすり合わせて、必要な修正・調整を図る
→最終評価決定	・二次評価者の充分な理解・納得を得て、最終評価を決定する
↓	
評価のフィードバック面談	・一次評価者が最終評価結果を二次評価者から説明を受け、充分に理解する ・一次評価者と本人による「フィードバック面談」の場で、一次評価者が評価結果をフィードバックし、充分に意見交換をすることを通して、今後の「成果追求」と「人材開発」につなげていく ・「人事評価」の「処遇反映」が決定している場合は、その内容を告知する場としても活用する

信頼性を高めるためのプロセスだと考えていただければと思います。

2.「業績評価」の考え方とプロセス

「業績評価」は、「目標達成度」と「目標レベル」の視点から見る

　前節で述べたように、「目標管理」の考え方では、「本人にとって『やりがい』のある目標を設定することが原則である」と説き、「『簡

単に達成できる低いレベル』のものも『達成不可能な高いレベル』のものもよい目標ではない」として、個人の視点から「目標」を設定することを前提としています。したがって、「目標達成度」は個々に対する期待への到達度であり、個人間の差を評価するものではありません。

これに対して「業績」とは「個々人の貢献状況」を指すものですから、「人事評価」としての「業績評価」を行ううえでは個人間の差をできるだけ客観的に評価しなければなりません。したがって、「目標達成度」を「業績そのもの」とすることには無理があります。どうしても「目標達成度」という視点以外に、どの程度のレベルの目標を設定しているのかということを比較する視点が必要になってきます。

「目標レベル」といっても考え方は複雑です。客観的に見て難易度が高い目標を掲げていれば、「目標レベルは高い」といえるでしょうが、一つひとつの目標の難易度は低くても、トータルに見て仕事のボリュームが非常に大きければ、それも「目標レベルは高い」といえそうです。また、職場における仕事の重要度が高く、それなりの立場の人でしか担えない役割も「目標レベルが高い」し、本人にとって難易度は低くても、希少性の高い役割であれば、やはり「目標レベルは高い」と考えることができるかもしれません。

したがって、「目標レベル」を評価することは非常に困難です。「目標レベル」を評価するためには、相対的な比較をする必要があり、それでいて、そこには共通した尺度は存在しません。営業担当のAさんと、技術担当のBさんの「目標レベル」を比較することには無理がありますし、それがたとえ同じ職種であったとしても、個々の置かれた立場や背景・条件の違いを考えると、厳密には同じ尺度で比べることはできません。

しかし、そういっているだけでは話が進みませんから「このぐらいのレベルであれば、同じ程度だといっていいのではないか」といった

妥協点を決めて評価することにし、何段階かの「貢献度レベル」に格付けすることにします。これが「等級制度」の「等級段階」を設定するうえでの基本的な考え方です。

「等級制度」における「等級」は、多くの場合、「役割レベル」を基準として設定されています。したがって、同じ「等級」内においては、同程度の「目標レベル」であると想定することができます。設定した「目標レベル」が充分に高く、かつ、期末に達成しているのであれば、一段階上位の「等級」に昇格する仕組みにすることで「目標レベル」を向上していくことを動機づけていくのです。また、同じ「等級段階」にあったとしても相対的な差を評価し、少しでも高い目標を設定してそれを達成したほうが、低い目標を設定した場合よりも「業績が高い」とすることで、「目標レベル」を向上させていく意欲を動機づけていくこともできます。

「業績評価」で「目標達成」「目標レベル向上」「職場目標貢献」を動機づける

「目標達成度」と「目標レベル」さえ評価すれば「業績評価」を行うことができるかというと、現実の評価場面を想定するとそれでもまだ足りません。「目標以外の貢献」についても評価をしないと、どうしても釈然としないところが残ります。

「目標以外の貢献」を評価することの理由は大きくいって2つあります。1つは、「目標管理」がいくら浸透し、目標設定のスキルが向上したからといっても、期首に設定した目標には必ずモレや不備があるからです。もちろん、期中や期末に目標を修正・付加することはできますし、そのことは「目標管理制度」の中で明確に記述されていると思います。しかし、それでも「わざわざ目標として設定してはいないが、大きな貢献である」と評価するものが生じることはあり得ます。

もう1つの理由は、自分自身の「個人目標」よりも「職場目標」を

優先し、「職場業績」に貢献していこうとする意欲を動機づけていきたいからです。前述のように、個人は職場の、職場は全社の業績追求のために「目標設定」を行っているのです。「個人目標」の達成を犠牲にしても、「職場目標」の達成に直接貢献したのならば、そのことをストレートに業績として評価する考えを持っていることは非常に重要です。

以上のように考えてくると、「業績」とは、「①どのようなレベルの目標を掲げ（目標レベル）」、「②その目標をどの程度達成したか（目標達成度）」、そして、「③設定した目標以外にどのような貢献をしたのか」と整理ができ、「業績＝目標達成度×目標レベル＋目標以外の貢献」と概念化することができるでしょう（図表２-２-２）。

このような構造によって「業績評価」を行うことで、「目標管理」において重要視すべき以下の「３つの意欲」を動機づけていくことが可能になると思います。

①よりレベルの高い「目標」に挑戦していこうとする意欲（目標レベル向上意欲）

②期待されている「目標」を絶対に達成していこうとする意欲（目

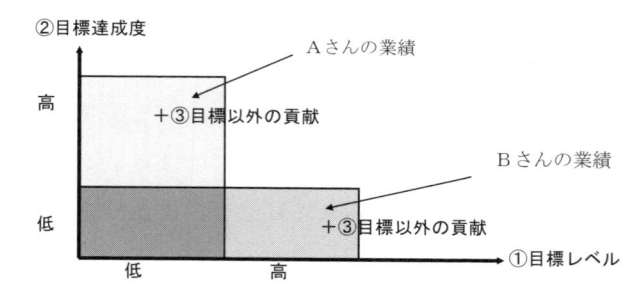

図表２-２-２　「業績評価」の考え方

業績＝目標達成度×目標レベル＋目標以外の貢献
　目標レベル…目標そのものの「難易度」「重要度」「目標全体のボリューム」等
　目標以外の貢献…目標に設定し切れなかった役割貢献、職場業績追求への対応、等

標達成意欲）

③個人の「目標」の達成よりも、職場全体の目標達成を優先しようとする意欲（職場目標貢献意欲）

3.「等級評価」の考え方とプロセス

「チェックリスト」によって、上司の「指導・育成力」をカバー

　「振り返り評価」における「仕事のプロセスの評価」について紹介しましたが、上司の指導力・育成力を確保するために、「人事評価制度」の中には「行動評価」「能力評価」といった「評価区分」が設定されています。「行動評価」とは「成果を出していくうえで、ふさわしい行動を発揮していたか」を評価するものですが、単に総括的に評価するだけではなく、それぞれの「役割」において具体的に発揮すべきであると想定される「行動」をリストとしてあらかじめ設定し、そのリストにしたがって現状をチェックすることで「課題」を発見しようとする方法です。

　この「行動チェックリスト」は担当する「役割」ごとに作るわけですから、当然「職種」「階層」によって異なったものを用意する必要があり、多くの労力がかかることが予想されます。「職種」によっては該当する社員数がごくわずかな場合もあり、その意味では、全てについて完璧にリスト化することは不可能です。したがって「行動チェックリスト」は、ある程度大きなくくりによって「職種」「階層」を区分し、共通に担っている「役割」を設定して発揮すべき「行動」を想定して列挙することになります。

　また、同じ「役割」でも人によっては別の「行動」によって「成果」を導くこともあり、どこまでが「共通に発揮すべき行動」で、どこからが「個性による違いを許される行動」なのかも難しい判断が必要です。したがって、「行動チェックリスト」を作成するプロセスで

当該の職種を担当する管理職がそれぞれの考えをすり合わせ、「役割」ごとに必要と思われる「行動」を討議していくことそのものが、上司としての「指導・育成力」を高めていく結果につながるとも考えられます（図表2-2-3）。

　「能力評価」についても「行動評価」と同じことがいえます。「成果を出すうえでふさわしい行動を発揮するだけの能力的な特性を有しているか」を評価しますが、単に総括的に評価するだけではありません。必要であると想定される「能力要件」を「チェックリスト」として設定し、その「能力要件」ごとに評価することで、取り組むべき「能力開発課題」の発見を行います。

　「能力要件」は、ふさわしい「行動」を発揮するための要件ですから、もちろん「行動」との連動が重要ですが、「役割」―「行動チェッ

図表2-2-3　「行動チェックリスト」の設定例（中堅営業職：一部）

役割区分	行動チェック項目
顧客メンテナンス	個々の担当顧客に対し、当社としての長期展望をもっている
	顧客についての情報収集の手段を複数持ち、最新情報の把握を行っている
	顧客の担当者とその上司に対し、アポなしでも会えるくらいの関係を築いている
	新鮮な情報を提供することで、顧客から常に気になる存在になっている
	顧客のメリットを第一優先に考えた提案を行っている
新規商談の展開	必要な商品情報を幅広く収集し、企画の立案に反映させる
	新規商談を進めるうえで、関係者へのオリエンテーションを的確に行う
	顧客にとって魅力を充分に感じることができる企画コンセプトをまとめる
	充分な説得力を持って企画のプレゼンテーションを行う
	顧客からの質問・要望に的確に応え、新規商談を進める
新規顧客開発	日常業務の中で新規顧客開発につながるネットワークづくりを心掛けている
	新規顧客としてアプローチしたい対象を具体的にリストアップする
	新規先に対してアポイントを取り、訪問する
	会社および商品のプレゼンテーションを適切に行う
	必ずビジネスに結びつける信念をもって、タイムリーに訪問していく

クリスト」―「能力要件」という形で表記することは煩雑すぎます。したがって、多くの「役割」「行動」に共通する「能力的要件」を「職種」「階層」といったくくりで想定し、整理する方法が一般的です。「人事評価制度」の中で「情意（職務姿勢）評価」「能力評価」という「評価区分」を設け、それぞれに「評価要素」を設定しているのは、厳密にいえばこのように構造化されるものであると、考えられます（図表2-2-4）。

「等級基準」に照らして「行動評価」「能力評価」を行う

　「行動評価」「能力評価」をしていくうえでの「行動チェックリスト」と「能力要件」を、会社の定める「等級制度」と整合性をとって「等級評価」として位置づけ、適正に行っていくことができれば、「上司の評価」として「人材開発」はさらに促進されることになります。

　今、ほとんどの企業においては、「人材開発・キャリア開発」を促進していくために「等級制度」が導入されています。「等級制度」は、

図表2-2-4　「能力要件」の設定例（中堅営業職：一部）

大分類	小分類	活用される役割
専門能力	商品知識	顧客への情報提供、企画の立案
	マーケット知識	顧客への情報提供、顧客との関係形成、企画の立案
	社内外のネットワーク	顧客への情報提供、顧客との関係形成、企画の立案
課題形成能力	情報収集力	顧客との関係形成、企画の立案
	状況把握力・分析力	企画の立案
	構想力・企画立案力	企画の立案
業務姿勢	計画性・着実さ	顧客との関係形成
	行動力・活動意欲	顧客との関係形成、新規顧客開発
	達成意欲・強靱さ	新規顧客開発
対人関係能力	調整・交渉力	新規商談の展開
	プレゼンテーション力	新規商談の展開、新規顧客開発
	コミュニケーション力	顧客との関係形成

社員個々の現状の「人材レベル」を所定の「等級段階」に位置づけて、処遇格付けをしている制度ですが、これは、別の視点からいうと「もう一段階高い『等級』にアップ（昇格）するうえで『会社が求める方向と基準』を明示している制度」ということでもあります。したがって、「キャリア開発・人材開発」を促進する制度であると位置づけられます。現在、各社が導入している「等級制度」としては、大きく「役割等級制度」と「職能資格制度」の２種類があり、「役割等級制度」は「役割レベル」を「等級基準」とし、「職能資格制度」は「職務遂行能力レベル」を「等級基準」としています。

　「役割等級制度」において、「等級基準」となる「役割レベル」については、それぞれについて「ちゃんとできている人」「できていない人」を評価して、「ちゃんとできる」ように育成していく必要があります。そこで、「等級基準」となる「役割」をいくつかに区分して、そのそれぞれについて、「チェック項目」を整備し、「行動チェック」による「等級評価」を行うことになります。

　また、「職能資格制度」においても、前述のように、「何のためにその能力が必要なのか」という視点で見ていくことが必要で、「能力要件」を「役割レベル」に紐づけて「能力レベル」を整備し、「等級基準」としていくことになります（図表２-２-５）。そして、その「能力レベル」を具体的に評価していくうえでの「チェック項目」を用意していきます（図表２-２-６）。

　「役割等級制度」と「職能資格制度」では、「評価要素」としてのくくり方が、「役割区分」と「能力要件」で違いがありますが、評価するうえでの「チェック項目」を見ると、実は少しの表現の違いにしか過ぎないところがあります。いずれにしても、会社が求める「キャリア」へと「役割レベル」が上がっていくよう、「仕事のプロセス」を「行動」「能力」の両方の視点をもって評価することが必要であるといえます。

第2章 上司の評価

図表2-2-5 「役割レベル」と「能力要件」の紐づけ例

	等級における「期待役割」		能力要件ごとの「能力レベル」					
	組織的役割	専門的役割	連携・協働意識	対人関係能力	規律性・プロ意識	実務遂行能力	主体性・向上心	課題解決能力
指導職層 S2	組織全体の高い成果を上げていくことを目指し上位組織活動が適正に行われていくことに貢献する役割 組織活動を適正に展開する役割	自身が担当する領域において課題解決を上げていくうえで専門的な活動を展開する役割	仕事関係者と良好な人間関係を形成してチームワークを発揮するとともに必要なメンバーシップを発揮して仕事に取り組もうとする意識	他者と良好な関係を形成できることとともに集団において必要なリーダーシップを発揮していくことができる能力	職業人としての自覚を持ち、倫理観を持って周囲の期待に応えていこうとする意志	プロとしてのレベルの高い仕事を進めるうえで必要な知識・技術・経験を持ち、それらを駆使し発揮していく能力	仕事により高いレベルで取り組むことを目指し自らを高めていこうとする意識	より高いレベルを目指していくうえで新たな課題を形成し、その解決を推進することができる能力
指導職層 S1	サブリーダーもしくはそれに準じる役職位として、上位管理者の指示・支援に従って、組織のマネジメントの補佐・代行を行う	高度な専門家レベルの技術を発揮して、組織の下でリーダーシップを発揮して、中長期的な視点で業務を行う	周囲を大きく巻き込んで業務遂行し職場全体の力の発揮につながるチーム力を促進する職場関連施策の意識を持つ	基本的な組織マネジメントスキルを有し、知識、スキルを発揮して組織のマネジメントを補佐・代行できる	担当業務におけるオーソリティの社内外に広範囲の専門知識から中長期的な視点からのえていく	担当分野でのオーソリティの社内の高度な専門知識の技術・能力を有し、発揮していくことができる	職場・部署・部門の課題解決の推進役として、先頭に立って新しい課題解決に関わっていく	課題の構造を論理的に整理し課題解決の方向性の高い課題解決の計画を形成して計画の推進を主導していくことができる
担当職層 J3	所属組織の業績に関わる重要な専門性をもって業務の担当者、知識、技術、企画を発揮し、所属部署全般に発揮して主導的に業務を推進する	比較的広範囲に対する専門性の広い業務への自らの知識と技能をもって業務推進に対し主体的に支援推進を行う	職場のリーダーとして業務の成果達成に向けて上司の支持に対して有効的に動く意識を持つ	後輩・同僚の育成・指導者、同僚育成の社内外の関係者と動かす人材の育成を支援することができる	プロとしてのお客(貢献対象者)顧客への貢献意識を考えて、業務目標を掲げて業務遂行に臨んでいる	自身の担当における広範な知識や判断的な知識を持って業務遂行ができる	担当業務の主体者として課題解決に関わり率先垂範的に取り組んでいる	課題解決のプロセスを理解し、課題解決策を立案して実行することができる
担当職層 J2	特定範囲に対する専門性の業務担当者、必要な技術、知識を自らの工夫で発揮して業務を自律的に自ら遂行する	特定範囲内における専門性を発揮して、組織内の後輩に対して業務遂行に向けての助言を行うなど組織内で業務貢献ができる	適切なコミュニケーションを通じて職場の同僚に対しての業務遂行に関する貢献意識の改善を図っていく	職場内の同僚や社外の関係者のパートナー関係を理解してコミュニケーション関係を構築することができる	プロとして顧客(貢献対象者)の期待に応え、上位者としての責任を果たすため上位者からの支援を得て業務遂行する	特定の担当業務について責任を持ち必要な知識、技術を自ら得て、必要な上位者の支援を受けて業務遂行ができる	担当業務としての責任をより高く実行するため、新しい意欲を持ってチャレンジしようとしている	担当業務を的確にステップアップしていくうえでの改善点を見出すことができる
担当職層 J1	組織内のルールや会社の一員であることを自覚し、組織に所属することを認識し職場の基本的ルールを学び、非定型業務を含めて円滑に行う関係性に貢献する	比較的専門性が限られた範囲内の業務を担当の上位者からの連絡・判断により業務遂行する	職場内の一員として上司・同僚との関係を形成し業務遂行を円滑にしようとする	会社・所属組織の一員として職場全体の一員として、同僚や関係者に対する理解を形成している	社会人・企業人としての自覚を持ち、健全なる行動規範・行動様式を具備しようとしている	職場の上位者からの指示・指導を理解し、日常的通りに業務遂行ができる	自らの成長を目指して意欲を持ち、仕事に前向きに取り組んでいる	問題意識を持って業務や仕事を改善していく新たな視点を見出すことができる
担当職層 J1	企業人としての基本的なルールを身につけ、組織社会人としての協調性に従って、所属する職場の上司・同僚・関係者への報告・連絡・相談を行い職場の周囲との協働を図る	上位者からの指示・指導の下で必ず連絡・報告を的確に行い、担当必要な知識・技能の習得に努める	職場の諸制度・諸規程を遵守して適正な組織運営の一員としてチームワーク発揮や同僚の円滑な業務推進・生産性向上に貢献する	上司・同僚に対し業務の報告・連絡・相談を円滑して業務遂行に取り組むことができる	社会人としての自覚・企業人の自覚、会社の一員としての自覚を身につけ、企業のルール・規程を遵守する	職場の上位者から指示・指導を理解し、担当業務の遂行に必要な知識・技能を習得している	自ら成長していこうとする意欲を持ち、仕事に取り組むことができる	問題意識に取り組み新たな学習をして見ていくことができる

45

図表2-2-6　等級ごとの「能力要件」の「レベル」と「チェック項目」設定例（対人関係能力）

等級	能力要件レベル	能力レベル・チェック項目
S2	基本的な組織マネジメント知識・スキルを有し、リーダーシップを発揮して、所属組織のマネジメント補佐・代行ができる	組織の運営の円滑化のために、業務手順や組織内のメンバーの役割設計を行う（業務プロセス設計力）
		等級制度・評価制度を理解し、組織内メンバーの指導・育成を行う（人事制度理解、評価育成力）
		所属組織の任務・目標、保有する経営資源と課題等、組織管理の内容を理解している（組織管理理解）
S1	後輩・同僚への指導・育成力、上司や社内外の関係者を動かす人材活用力を持ち、大きく仕事を展開することができる	上位の経営方針や職場の重点課題を理解し、自身の業務に展開している（上位方針理解・展開力）
		職場の同僚に対し、適切なアドバイスや指導を行うことができる（指導・育成力）
		上司・同僚を大きく巻き込んで業務遂行することができる（動員力）
J3	適切なコミュニケーション力を持ち、職場内の同僚との連携、関係部署と折衝・交渉ができる	業務遂行に必要な社内外の人的ネットワークを構築することができる（人脈構築力）
		小集団活動・QC手法や効果的なOJTの推進方法の知識を有している（OJT技術・知識）
		関係部署と折衝し、業務遂行上の調整や合意形成を行うことができる（他部署との折衝力）
J2	職場内の同僚や社内外のパートナーとの関係を理解し、円滑にコミュニケーションをとることができる	相手の立場や心情を理解して、社内外の仕事関係者とコミュニケーションをとっている（対人理解力）
		交渉相手に対し、自分の意見や要望を明確に伝えることができる（要望力・説得力）
		職場内の同僚の業務内容や役割分担について理解している（同僚の仕事理解）
J1	上司・同僚に対し、業務の報告・連絡・相談を円滑に行い、連携して業務遂行できる	上司・同僚に対し、必要な報告・連絡・相談を行うことができる（報連相の理解）
		上司・同僚からの業務指示・連絡を正確に理解することができる（言語理解力）
		自分の考え・意見を口頭で的確かつわかりやすく伝えることができる（言語化力）

等級段階によって「評価要素」の重点は異なる

　「人材開発」につなげていくうえで、「行動評価」と「能力評価」の両方の視点が必要であると述べましたが、より厳密にいうと、「行動」と「能力」の評価・開発には、それぞれふさわしいタイミングがあると考えることができます。

　「行動」は、「役割」に直接紐づいているものですから、年齢や経験年数に関係なく、新しい「役割」を担った時点で、学習・習得するこ

とが求められます。新人として「営業担当」になった時点で「営業職」としての行動を学習しますし、これと同様に、新たに「管理職」になったときには、「管理職」の「役割」を果たすための「行動」を習得する必要があります。

これに対して「能力」は、「行動を発揮するうえでの能力」ですから、将来「行動」を発揮するべき時点になって、そのための「能力」が備わっていないとなると大変ですので、早い段階で身につけておくことが求められます。また、「能力」といっても、特定の役割における行動の発揮のみに求められるかなり専門的なものから、さまざまな能力を習得するうえで必要となる基礎的なものまで、幅広く考えていくことができます。例えば、最も基礎的な「能力」として、よりレベルの高い「能力」の獲得や「行動」の発揮を行うために必要な「仕事習慣」という「能力区分」があります。

「仕事習慣」とは聞きなれない名称かもしれません。多くの会社では、「執務態度」や「取り組み姿勢」もしくは、より専門的ないい方の「情意」といった名称で呼ばれているものです。ここでは、「仕事に取り組む価値観・判断基準として身についているもの」という意味をより正確に表現するために「仕事習慣」を用います。

「仕事習慣」は、あらゆる「能力の獲得」や「行動の発揮」の基礎になるものと位置づけられます。いくら「経理」の専門的な知識を身につけようとしても、その基礎となる「コスト意識」を身につけていなければ、「経理」の役割を果たすことはできませんし、「報告・連絡・相談の励行」という「仕事習慣」が身についていなければ、怖くて「経理業務」など任せることはできません。したがって、これらの仕事習慣は、早期の段階で社員に必ず徹底して鍛えていく「要件」であると考えられており、会社によって重要視する「要件」としていくらかの違いがあったものとしても、多くの会社において「等級評価」の最も下位の「評価項目」とされています（図表２-２-７）。

図表2-2-7　早い段階で習得することが期待される「仕事習慣」例

要素	内容	具体的内容例
規律性	良き組織人・社会人として、組織・会社・社会のルールを必ず守ろうとする姿勢	規程の遵守、コンプライアンス 組織のマナー・約束事を守る
連携・協力意識	仕事上の関係者と適宜連携・協力して業務を遂行しようとする姿勢	支援・協力に対する積極性 積極的なコミュニケーション、報告・連絡・相談の励行
責任感	自分自身の役割を自覚し、期待に必ず応えていこうとする姿勢	自分の立場・役割を大きくとらえる 最後まであきらめない
活動意欲	自分自身の労を厭わず、積極的に行動して仕事貢献していこうとする意欲	積極性、自発性
成果追求意欲	より高い成果・優れた結果を出していこうとする意欲	目標達成意欲、成果追求意欲 チャレンジ意欲
成長志向	自身の成長・レベルアップを図っていこうとする姿勢	学習意欲 自律性・向上心
効率意識	業務を進めていくうえで極力無駄を排除しようとする姿勢	コスト意識 時間管理意識

　これが、より上位の「等級」となってくると、これらの「仕事習慣」は当然身につけているものであると想定されますから、「等級評価」としてはふさわしいものではなくなり、より専門的な「知識・スキル」や難易度の高い「行動」の発揮が求められるようになり、これらが「等級評価」の「評価項目」になるわけです。また、このレベルになると、「知識」や「スキル」といった「能力要件」も「行動」として発揮されなければ無意味ですので、「役割等級制度」「職能資格制度」といった区分にあまりこだわる必要はなくなると考えられます。

4．上司による「人事評価」のフィードバック

面談で上司が「評価のフィードバック」を行う

「人事評価」を行う意味は、「『成果追求』と『人材開発』を促進するためである」と述べましたが、「成果追求」にしても「人材開発」にしても、本人が充分にその内容を理解・納得・共感することがなければ意味を持ちません。そこで、この「理解・納得・共感」に導くために、上司と本人とによる「フィードバック面談」によってすり合わせを行う機会を持つことが有効です。

「フィードバック面談」をすることによって、本人が次期の「成果追求」や「人材開発」に動機づけられたり、解決すべき自分自身の課題を明確化できるようになるのは、次のようなメカニズムによるものと考えられます。

①言葉で直接伝えられることで「評価」が「メッセージ」となる

　　書面で伝えられるのとは違い、直接言葉で伝えられることで評価内容の背景にある評価者の思いを「メッセージ」として伝えることができます。

②信頼感のある「協働者」からのメッセージだからこそ共感する

　　フィードバックをしてくれている相手が信頼している自分の上司・協働者であって、課題の解決と自分自身の成長を主体的な立場で願っていることが分かるからこそ共感することができます。

③自分自身の気持ちをすり合わせる場があることで納得感が持てる

　　面談という場面で自分自身の考えを充分に話すことができ、自分の心情や立場を理解してもらったうえでの意見交換を行うことができるため、すり合わされた内容に対する納得感を持つことができます。

本人が理解しやすいように「フィードバック面談」を展開する

　また、これらの内容を伝えるに当たっては、より本人にとって理解・納得しやすい手順で展開していくことが必要です。「評価要素」の構成や「処遇反映ルール」の内容によってさまざまな手続きや制約条件もあるとは考えられますが、おおむね次のような流れによって面談を進めていくことが有効です。

①面談の目的を話す
　・「次期のレベルアップを図るための理解・納得・共感を得るための面談である」と伝える。
②「業績評価」と「等級評価」についての「自己評価」を話してもらう
　・自分自身の「満足度」とそのように感じる理由の自己分析の内容を聞く。
③「業績評価」と「等級評価」について上司としての「総括評価」を示し、動機づけを図る
　・上司としての「満足度」とその理由を明快にメッセージとして伝える。
　・意見交換を行い、本人の気持ちを確認しながら動機づけを図り、次期に取り組むべき「課題」についての上司の考えを聞く姿勢作りを行う。
④「業績評価」「等級評価」に照らして、次期に取り組むべき「課題」について上司の考えを伝える
　・上司が「課題形成」した内容について一つひとつ説明する。
⑤上司の考える「課題」について本人と充分にすり合わせを行い、理解・共感を得る
　・上司の説明に対する本人の理解・納得状況を確認しながら意見交換し、明確に意識していくことを目指す。
⑥すり合わせた「課題」についての「課題解決の方向・方策」につい

て見通しをつける
　・明確化した「課題」についてその場で想定できる解決の方向や方策をすり合わせ、今後の仕事の仕方を共有する。
⑦最後に本人からの質問・要望を受け、激励する
　・本人にいい残したことや疑問がないかを確認し、上司からの感謝の言葉を述べる。

「導入」を丁寧に行うことで、「面談」を成功に導く

　面談における「導入」は、非常に重要です。うまく導入できるかどうかで、面談の成否が決まるといっても過言ではありません。面談の導入を丁寧に行っていくうえで、次のような点が重要であると考えます。
①「フィードバック面談」の目的の理解を図る
　「フィードバック面談」の目的・意味については、フィードバックを受ける側、つまり本人に理解されていない場合が少なくありません。「振り返り評価」のすり合わせの場を、「プロ野球選手の年俸交渉の場」であるといったような誤解を招かないよう、面談の導入時には、面談の目的を充分に共有化しておくことが必要です。
②支援者としての上司の立場を明確にする
　「フィードバック面談」の目的・意味を明確にするということは、同時に、上司の立場を明確にするということでもあります。上司は交渉相手として面談に臨んでいるのではなく、部下と協働していくうえで部下自身が次期によりレベルアップした仕事をしていくことを期待し、その支援のために「フィードバック面談」を行っているということを導入時に明示しておくことが必要です。
③話しやすい雰囲気作りをする
　「面談」は、上司と部下が相互の見解をすり合わせることで本人が理解・共感していくことに意味があります。その意味では本人の意

見・考えが充分に引き出されなければなりません。ところが、上司と部下の1対1の状況はただでさえ緊張する場面であり、そのままでは部下が思ったことをストレートに話すことには難しさを伴います。部下の緊張感を解きほぐし、リラックスをさせて話しやすい雰囲気作りを行うことは、上司の務めであると考えられます。

「信頼関係」の構築を意識して、「面談」を終了させる

　「フィードバック面談」では、「導入」の仕方も重要ですが、同時に、どのように「終了」させるかも非常に大事です。「面談」で上司の考えや評価をフィードバックしていく場合、当然として、本人と上司の考えが一致している場合も食い違っている場合もあります。また、上司からのメッセージが本人にとってポジティブな場合もネガティブな場合もあります。いずれにしても「これからもがんばるぞ」といった意欲が持てるように、「面談」を終えたいものです。そのためには以下のような点に留意したいところです。

①本人が納得できないまま終わりにしない

　もし、本人が面談の内容に共感できないどころか納得さえできていなかったとしたら、その面談は失敗だったといえます。おそらく仕事に対する意欲は低下し、次期のレベルアップが望めないどころか、むしろ悪化することさえ予想されます。したがって、納得できないまま面談を打ち切ることは厳禁です。仮に時間内に納得に至らなかったとしたら、なるべく早い時期に改めて機会を設け、面談の続きを行うべきでしょう。上司・部下双方が一度頭を冷やすことができれば、2回目にはより意味のあるコミュニケーションが取れる可能性もあると考えられます。

②支援者としての上司の姿勢を改めて示し、信頼関係の構築に努める

　面談の最後に「何かこちらにいいたいこと、期待したいことはありますか？」「他に必要なことがあったらいつでもいってきてくださ

い」といった投げ掛けをすることで、上司として本人を全面的に支援していく姿勢を示すことは重要なポイントです。このことによって、仕事に対する本人の自主性・自律性を改めて喚起することが期待できるとともに上司との信頼関係の構築に役立つと考えられます。

　面談を終えて「いい話し合いをすることができた」「いろいろ得るものがあった」という感想を持つことができるのは、すなわち上司との信頼関係を構築できていることの表れです。そして、信頼関係があるからこそ上司の意見も素直に受け入れられるし、動機づけもされます。信頼関係の構築を意識して面談を終了することを是非心掛けたいところです。

第3節 「人事評価」の信頼性を高めるために

1．「評価の信頼性」とは何か

信頼性の高い評価のために、「妥当性」「客観性」「標準性」を確保する

　上司が行った評価に対して本人の納得・共感を引き出し、次期のレベルアップを図っていくためには、上司の評価に対して部下が充分に信頼感を持っていることが大事です。そして、高い信頼感を得ていくには、当然ながら「信頼性」の高い評価を行うことができていることが前提であるといえるでしょう。

　「信頼性の高い評価」とはどのようなものをいうのでしょうか。さまざまな定義を考えることができますが、一言でいえば「人によって結果に大きなブレが出ない評価」ということになるでしょう。A課長とB課長で同じ人を評価して、それぞれの結果が大きく異なっていたとしたら、その評価を信頼することはできないでしょう。

　では、どうすれば人によって結果にブレが出ないようになるのでしょうか。そこには、大きくいって3つの要件が確保されていることが重要であると考えられます。

　要件の1番目は、「評価すべき内容を的確に評価していること（妥当性の確保）」です。例えば「業績評価」ならば、本人にとって「業

績とは何か」を正しく把握し、その内容を的確に評価しなければなりません。前任の上司は「後輩の指導をすることも業績だ」といっていたのに、今度の上司は「そんなのは、業績じゃない」となっては、信頼性の高い評価ができるとはいえないでしょう。

　２番目の要件として、「事実を正しくとらえて評価していること（客観性の確保）」が挙げられます。上司がとらえているものが一面的であったり、個人的な主観に偏ったものであったとしたら、的確に評価することはできません。さまざまな角度から事実を客観的に正しくとらえて評価することが重要であるといえます。

　「信頼性の高い評価」のためのもう１つの要件は、「評価基準に偏り・歪みがないこと（標準性の確保）」です。仮に同じ事実を見ていたとしても、評価基準が異なっていれば人によって「A」と評価されたり「B」と評価されたりと違いが生じてしまいます。個人間に存在する評価基準の偏りや歪みを解消し、標準性がある程度確保されていないと信頼性の高い評価とはいえません。

「評価に対する誤解」や「部下との接点不足」が、評価の「信頼性」を低める

　それでは、どのようなことが評価の信頼性を低める原因になっているのでしょうか。

　「妥当性」が低くなってしまう場合は、純粋に、「評価の目的・構造」「評価要素・項目の意味・内容」に対する評価者の誤解や理解の低さが原因になっていると考えられます。前の章でも述べたように、「評価」はその目的を明確に理解・意識して行われることが重要です。そして、その目的に沿って評価の内容が構造化され、評価要素が設定されるわけです。したがって、個々の「評価要素」として何を評価するべきであるのかを的確に理解していなければ、妥当性の高い評価はできないと考えられます。つまり、彼にとって「後輩指導」は「業

績」の要素なのか、否かを上司は正しく理解していなければいけません。

「客観性」が低くなってしまう場合は、上司としての部下との接し方や日常のコミュニケーション量の不足が原因になっていることが多いようです。もちろん、部下の状況を完全に把握することは無理です。しかし、あまりにも限られた情報の中から評価をしようとすると、どうしても上司の主観に頼るものになってしまいます。また、目立った特徴の影響を受けて他のことも判断してしまったり（ハロー効果）、分かっている事実からこじつけて分かっていないことを評価しようとしたり（論理誤差）といった、「心理的なエラー」を招いてしまうことも懸念されます（図表2-3-1）。その結果「上司は私のことをきちんと見てくれていない」となってしまうのです。

また、「部下との接し方や日常のコミュニケーション不足」という原因については、「評価をする立場としてふさわしい人が評価者になっているか」ということも見逃せないポイントです。例えば、直接評価をする対象者数が極端に多かったり、働き場所が異なり接点を持つことがなかなかできない部下の評価を任せられていたり、といったことです。「それでも客観的に評価をしろ」といってしまうことは簡単ですが、物理的に無理なときは無理です。

この場合、そもそもそのような立場の人間が部下の仕事の「振り返り評価」を行うことそのものに意味があるとは思えません。おそらく、組織編成を見直すか、評価の権限の委譲を積極的に行うようにす

図表2-3-1　評価者の陥りやすい「心理的なエラー」

ハロー効果	評価者が相手の特に優れた点、劣った点、または全体の印象に幻惑されて、他の事実を歪めてとらえてしまうエラー
論理誤差	評価者が論理的に考えるあまり、関連のありそうなことについて、事実に基づくことなく同一あるいは類似した判断を下してしまうエラー

るべきでしょう。つまり、部下を多数抱えている課長が部下個々の「振り返り評価」を係長に委譲し、その結果を受け、係長と事実をすり合わせて課長としての評価を実施するという形態をとるほうが合理的です。

評価に慣れていくことで、「標準性」を確保する

「標準性」が低くなってしまう場合は、評価に対する不慣れが原因であることが多いようです。「人事評価制度」では、「S・A・B・C・D」といった何段階かにランク付けし、それぞれどのような場合にどの評価ランクとするかといった定義をしています。しかし、評価に不慣れで経験が浅いと、定義されているランクが実際はどの程度であるかを理解することは非常に大変です。

評価の基準について自分自身の判断に自信がないと、結果として評価全体が甘くなったり（寛大化傾向）、中庸な評価をしてしまいがち（中心化傾向）になります。また、そのことを意識しすぎると、こんどは厳しくしすぎたり（厳格化傾向）、極端な差をつけてしまったり（極端化傾向）といった傾向が出てしまいます（図表2-3-2）。そして、これらの傾向を放置しておくと、評価者自身の特徴として定着しかねません。

これらの傾向を是正するためには、まず、自分自身の特徴に気がつくことです。そして、そのためには自分自身の評価基準を他の評価者と比較することが重要です。評価の経験を重ねることを通して、自ら

図表2-3-2　不慣れからくる「評価のクセ」の代表例

寛大化傾向	評価が全体的に甘くなる傾向
厳格化傾向	評価が全体的に辛くなる傾向
中心化傾向	評価結果が中心点に集中し、優劣の差をつけない傾向
極端化傾向	中心化傾向を意識し、必要以上に差をつけてしまう傾向

の評価基準を確認し、必要な修正を図って「標準性」を確保していくことが期待されます。

上司の価値観の偏りが「評価のクセ」を生む

　ドイツの著名な心理学者のシュプランガーは、人はどうしても自分自身の持つ独自の価値観の「フィルター」を通してしか物事を見ることができないという傾向があり、かつ、この傾向から逃れることはできないといっています。「秩序を重んじる上司」にとっては、「自分の考えをストレートに表現する部下」は疎ましい存在であり、「とんでもない奴」といった評価をしてしまいがちですが、「独自性を尊ぶ上司」にとっては、「見所のある奴」という評価になります。

　この価値観による「評価のクセ」があまりに極端ですと、「客観性」に乏しいものになってしまいます。「信頼性」は著しく損なわれ、評価者の意図は本人に伝わらず、評価者自身としては厳密に評価したつもりでも、「うちの課長は、なんかズレているんだよね」の一言で片付けられかねないでしょう。そのような事態に陥らないよう、評価者が自分自身の「評価のクセ」をよく理解し、少しでも「評価の信頼性」を高めていくことを意識して、クセの是正を図る姿勢は必要だと思います。

2．「二次評価」「評価のすり合わせ会議」の意味と効用

評価プロセスの中に「信頼性」を高める仕組みを入れる

　「評価の信頼性」を高めていくためには、「評価者研修」を行い「評価要素・項目」についての理解を高めたり、事例研究等を用いて「事実をとらえる視点」や「評価の基準」についての習得を図っていくことが考えられます。また、「価値観診断テスト」等を実施して、評価者としての特有の「クセ」を把握することも「偏り」を是正していく

有効な手段だと思います。

　しかし、研修やテストによって身につくことには限度がありますし、人によって効果に大きな差が生じることも予想されます。また、そのことに対する時間的手間やコストも見過ごせません。

　そこで、「信頼度」を高めていく仕組みを、もともとの「人事評価制度」の評価プロセスの中に位置づけておくことが有効です。「二次評価」や「評価のすり合わせ会議」は、その機能を果たすもっとも有効な仕組みであると位置づけることができます。「二次評価」や「評価のすり合わせ会議」といったプロセスを評価の中に入れておくことによって、管理職が行う評価の信頼性を確保し、同時に評価スキルの向上にも役立たせることができるのです。

「二次評価」によって「一次評価」の内容をチェックする

　「二次評価」は、「一次評価者」のさらに上司にあたる者が行うものとして位置づけられていることが一般的ですが、その主目的は、「一次評価」の内容を評価し、必要な修正を図り、一次評価者の評価スキルの向上を図っていくことです。つまり、評価内容が被評価者にとって納得でき、自分自身のレベルアップに適切に活かしていけるものになるよう、「①評価項目の理解は適切か（妥当性のチェック）」「②事実に基づいた評価をしているか（客観性のチェック）」「③甘すぎたり、辛すぎたり、偏った評価になっていないか（標準性のチェック）」「④分かりやすい文章表現をしているか（表現のチェック）」といった視点で確認し、一次評価者との間で共有を図り、適切な指導することで、「評価の信頼性」を高めていく役割を担っています（図表２-３-３）。

　前述のシュプランガーは、「人間は相手との物理的距離が遠ければ遠いほど、利害関係が薄ければ薄いほど、独自の価値観による影響は弱まる」といっています。二次評価者として、一次評価者よりも一歩

図表2-3-3 二次評価による一次評価のチェック内容

①妥当性のチェック	・評価の根拠として挙げている事実に誤解・偏り・見落としはないか ・評価結果とその根拠となる事実との間に、充分な整合性は感じられるか ・被評価者の仕事の振り返りを行ううえで、充分に意味のある評価項目を選んでいるか
②客観性のチェック	・評価すべきこととは別の事象の影響を受けていないか（ハロー効果） ・特定の事象だけにとらわれた判断をしていないか ・必要な事実確認やできるだけ多くの視点からの情報収集を行っているか
③標準性のチェック	・評価得点の付け方が甘すぎたり、辛すぎたりしていないか（「寛大化傾向」「厳格化傾向」は出ていないか） ・最高評点・最低評点の付け方の基準は適切か（「中心化傾向」「極端化傾向」は出ていないか） ・評価者自身の好き嫌いや固有の価値観にとらわれていないか
④表現のチェック	・コメントが端的で、伝えたい内容が本人にとって充分に分かる記述になっているか ・被評価者の課題や人材開発の方向について、評価者の意図・メッセージが感じられるか

引いた立場で、被評価者を見ることにより、より客観的な視点で評価することができ、一次評価者の偏った評価を修正していくことが期待できます。

「すり合わせ会議」で「標準性」の確保を行う

「人事評価」のプロセスとして、「二次評価」の役割を補完し、評価の「信頼性」を高めていくために、複数の評価者を集めた「評価のすり合わせ会議」を導入しているところが多いようです。

評価の「信頼性」を高めていくことの中でも、とくに「標準性のチェック」は、多くの評価者を集めて「すり合わせ会議」を行っていくことで有効に機能すると考えられます。「標準性のチェック」とは、

具体的には「どの程度が標準値なのか」「最高（最低）と評価するのはどの程度なのか」を理解し、その基準に照らして評価を確認することですが、その基準を理解していくためには、実は、豊富なデータの中で相対的に比較していくことができる視点が必要です。これを1人の一次評価者が受け持つ限られた被評価者の中で考えていくことは非常に難しく、たとえ二次評価者が豊富な経験に基づき自信を持って「標準値・最高値・最低値」を示したとしても、そのことを単に言葉だけで一次評価者に理解・納得させることには多大な労力がかかります。

それに対し、複数の一次評価者を集め、多くの評価結果を等級段階ごとに一覧にして「標準値・最高値・最低値」の確認をすることができれば、評価者一人ひとりの理解・納得は大いに促進されます。自分が評価した中だけでは位置づけが見えにくくても、他の評価者の評価結果と比べることを通して「標準」が分かりやすくなります。

したがって、この「標準性のチェック」を第1の目的に置いた「すり合わせ会議」を行う場合は、等級段階ごとの被評価者数がある程度確保されたくくりであることが重要です。しかし、だからといって、まったく状況を知らない被評価者については、相対的な関係を見ていくことはできません。できるだけ近いところでお互いにある程度状況を理解している職場でくくった単位を作って運営していく方法が考えられます。そして、被評価者個々の評価要素一つひとつにまで初めから入り込むことはせず、総括された結果を比較し、疑問点についてのみをそこから深く吟味していくようにすれば、「すり合わせ会議」をある程度効率的に運営していくことができるでしょう。

会議を「評価スキル」の開発の場として活用する

「評価のすり合わせ会議」には、「評価の標準性をチェックする」という意味とともに「評価者の評価スキルの開発」の役割も大きいと考

えられます。つまり、他の一次評価者の行った内容について聞き、質問や意見交換を行うことを通して「ケーススタディ」を行う機会とするという考え方です。「ケーススタディ」を通して、評価の目的や構造、評価基準の考え方や評価要素ごとの意味、そして「評価票の表記方法」といった全てについて、効率的に学習することができます。

　一次評価者の中には、新任管理者もいればベテランもいます。当然その評価スキルにもバラツキがあり、その是正を図っていく場は重要です。また、仮に「評価スキルの開発」という目的だけで「すり合わせ会議」を行おうとするならば、何も被評価者全員分を吟味する必要はありません。「ケース」としてふさわしい評価内容のみをいくつかピックアップして、評価者からの発表を中心に参加者全員で検討していくことで充分かと思われ、時間はずい分と効率化することができます。

「人材情報」を共有し、長期的な人材開発を促進する

　人事異動や組織改編がかなり頻繁に行われるようになってきた昨今の人事・組織戦略を反映し、「評価のすり合わせ会議」の場を管理職全員による組織内の社員の「人材開発情報の共有の場」として位置づける例も見られるようになってきました。確かに、社員の長期的な人材開発を考えると、特定の上司だけが情報を持っていても充分有効には活用し切れません。「人事評価」という貴重な人材情報を通して全管理職層が社員個々の状況を共有し、今後の育成の方向性を話し合っていくことには大きな意味があります。

　そうなってくると、その「すり合わせ会議」は簡単に終わらせるわけにはいきません。年に1回ぐらいは管理職層全員で泊まり込み、とことん議論していくような運営方法をとることがあってもいいかもしれません。

3.「ランクづけ」のメカニズム

「評価ランク」は、認識レベルを尺度化したもの

　「人事評価制度」では、「S、A、B、C、D」「5、4、3、2、1」といった段階で評価結果を表すことが多く、これを「評価ランク（評語）」もしくは「評価得点（評点）」と呼んでいます。ただし、この「評価ランク」を決定していくうえでの困難は大きく、これが「評価の標準性が確保できない」といった問題として現れるのです。よく「身長・体重を測定するように、誰もが同じ尺度を持って数量化できないものか？」といった声が聞かれますが、残念ながらそれは「無理」です。

　もちろん、明快に数値化された目標を持って仕事をする場合、その結果を測定することはできます。しかし、その測定結果は「人事評価の評点」にはなりません。その結果が「おおいに満足すべきものなのか」「満足できないものなのか」について、改めて評価者の考えをメッセージとして表現することが必要です。このプロセスが「人事評価」です。つまり、人事評価における「評価ランク」「評点」は、評価者の認識レベルを端的に表すために尺度化・数量化しているものです。

「間隔尺度」として「標準性」を確保することが重要である

　人事評価を行う主要な目的の1つは、期中の仕事を総括して動機づけていくことです。したがって、人事評価の「評価ランク」に最低限求められているのは、「良い」「悪い」を分類して表すことです。ただし、これだけではなかなかストレートに動機づけられません。なぜならば「『良い』といっても、どの程度良いのか」「彼と自分の差はどのくらいなのか」といったもっと微妙な違いが表されないとインパクト

を持って本人に伝えていくことができないからです。つまり、人事評価では単なる「分類」ではなく、レベルの差を表現するような「間隔尺度」として「評価ランク・評点」を決定していくことが期待されていると考えられます。

しかし、この「微妙なレベルの差」を表そうとすると「評価の標準性の確保」ができず、評価者間で評価基準に違いが生じてしまい、これが被評価者の不満・不安につながることが想定されます。つまり、「A課長の評価は甘い」とか「B課長は厳しい」といった結果が生じ、評価結果に対する信頼性が損なわれ、せっかくの評価が本人の「動機づけ」につながらなくなってしまいます。

どのような「母集団」から考えた「標準性」なのかを明確にする

「評価の標準性の確保」のためには、大きくいって2つの視点が必要です。1つは「どのような『母集団』から考えた『標準性』なのか」であり、もう1つは、「どのような段階区分による『評点』で評価を表現するか」です。

「満足のいく状況」「まったく満足できない」という認識は、何らかの「標準的な期待値（標準値）」を持っているからこそ評価できるものです。そして、その「標準値」は「母集団」を想定することで生まれます。もし、評価が特定の個人間における序列を決めること（いわゆる「相対評価」）なのであるならば、「評価の標準性」という概念はありません。「評価の標準性」が問題になるのは、「絶対評価」に限ったことです。それでは、「絶対評価」では他者との相対比較をしないのかというと、そうではありません。相対的に比較する「母集団」を「正規分布」になることが想定できる程度に大きくとらえ、その「母集団」の「標準値」と比較することで評価を行うのです。

ここで、「母集団」は何も「実際の社員個々の集まり」ととらえる必要はありません。これがキーポイントです。例えば「主任職の社

員」という「母集団」について考えるときに「現在主任職にある社員30名」の中で比較するのでは単なる「相対評価」です。そうではなく「主任職」という範囲を「過去の主任職社員」や「理想の主任職像」等も含めて想定し、大きな「母集団」をとらえて「このぐらいのレベルは期待したい」と考え「標準値」とするのです。その意味からすると「今年の30人は、皆、標準値以上のレベルだ」といった評価結果もあり得ます。

「標準性」を共有しやすい「5段階評価」を適用する

　「母集団」を決めることによって、「標準値」とともに、「最高値」や「最低値」についてもある程度想定することができ、そのレベルを段階区分で表すために「評価ランク（評点）」が設定されます。現状としては4～7段階程度に設定している場合が多いようです。なぜならば、段階数があまりに多いと「段階の差はどこにあるのか」を判断することができず「標準性の確保」が難しくなるからです。その中でも「5段階評価」は最も標準性を確保しやすい段回数だといえるでしょう。

　「5段階評価」は、多くの人にとって小学校から高等学校にかけて慣れ親しんだ評価段階です。そして、そのことによって「母集団」の中での「出現率」について明確ではないにしろなんとなく共通認識を持っていると考えることができます。細かい説明はここでは省略いたしますが、「5段階評価」では「標準値」に対して「プラスマイナス0.5標準偏差（1標準偏差分）」の範囲を「3」とします。そして、その上限からさらに「1標準偏差分」高い範囲を「4」、それを超えた範囲を「5」としています。また、逆に「3」の下限からさらに「1標準偏差分」低い範囲を「2」、それよりも低い範囲を「1」としています。そして、その結果として、出現率は「正規分布」を想定している限り「5」約7％、「4」約24％、「3」約38％、「2」約24％、

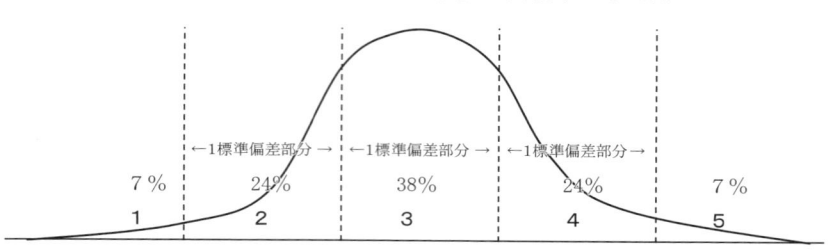

図表2-3-4　「5段階評価」の出現率の考え方

```
         ←1標準偏差部分→ ←1標準偏差部分→ ←1標準偏差部分→
    7％      24％       38％       24％      7％
     1        2         3         4        5
```

「1」約7％となります（図表2-3-4）。

　人事評価では、「5段階評価」の評点の付与基準を図表2-3-5の例のように非常にあいまいな表現で規定している場合が多いと思いますが、このように「出現率」をある程度共通に認識できていることによって、評価者間で評価結果をすり合わせていくときに「そんな程度では『5』は付けられないんじゃないの？」「『1』を付けるときって、こういうときじゃない？」といった会話が成立しやすくなることが期待できます。

　もちろん、「母集団」の認識がすり合っていないと「評点」の基準にはズレが生じます。また、評価者として経験が少ない場合は、当然「母集団」を大きくとらえることは難しいものです。そこで、評価経験が豊富な上位管理者が「二次評価者」として一次評価者の評価内容をチェックしたり、評価者を一堂に会して「評価のすり合わせ会議」を行うことに意味が出てきます。

中間的な「評価ランク」のメッセージも明確に表す

　「評価ランク」は、社員個々の仕事ぶりに対して評価者がどのような「満足度」を持っているのか「メッセージ」として明確に伝え、次期への動機づけを行うためのものです。そして、「満足度のメッセージ」としては、単に「良い」「悪い」の2種類ではなく、「どのくらい

図表2-3-5 「5段階評価」の評点の付与基準例

```
5：等級に標準的に期待されているレベルよりも著しく高い
4：等級に標準的に期待されているレベルよりも高い
3：等級に標準的に期待されているレベル相当である
2：等級に標準的に期待されているレベルよりも低い
1：等級に標準的に期待されているレベルよりも著しく低い
```

良いのか(悪いのか)」というニュアンスも加えて、段階的に区分することが一般的です。前述したように、絶対評価を行っている場合、その「母集団」は正規分布になることを想定していますから、「標準的(良いとも悪いともいえない/良いとも悪いともいえる)」という中間的な評価段階が存在します。しかも、これを「5段階評価」の「評点3」にあたる「Bランク」とした場合は、出現率が他の「評価ランク」に比べて高くなります。この多くの人たちに対して「どちらともいえない」と評価するとどうしてもメッセージ性が弱くなり、本人に対する期待が感じられにくくなることは否めません。

したがって、段階的な評価を行う「評価ランク」を定める場合は、「満足度のメッセージ」がより明確に伝わるよう表現の仕方を工夫する必要があり、「標準的・どちらともいえない」といったあいまいなメッセージしか伝わらない表現としないことがポイントです。図表2-3-6の例では、「満足」という言葉を使って、段階的に程度の差こそあれ、「良い」のか「悪い」のかを明確に区分しています。例えば、「目標管理」を展開している場合は、「達成できたら嬉しい(褒めた

図表2-3-6 「評価ランク」の表現例

```
S：期待されているレベルよりも著しく高く、満足度は極めて高い
A：期待されているレベルよりも高く、満足度が高い
B：期待されているレベルに達しており、ある程度満足できる
C：期待されているレベルにいたらず、不満足である
D：期待されているレベルよりも著しく低く、非常に不満足である
```

い)」指標として「目標」を設定することが原則になりますから、「目標達成」であれば、「評点4（評価ランクA）」です。また、惜しいところで達成できなかったとすると「評点3（評価ランクB）」でランクとしては「中間」ですが、メッセージとしては、「目標達成できず残念だが、一定の期待するレベルには至っており、ある程度満足でき、悪くない」ということになります。これに対して、達成レベルが低く「不満」なのであるならば、「評点2（評価ランクC）」となるわけです。つまり、「中間評価」は、『高満足ライン』を超えることはできなかったけれど、『不満足ライン』を下回ることはない」という範囲を表す「評価ランク」と位置づけることができます。

ときどき「目標達成度評価」の「すり合わせ面談」の場面で、上司と部下の間で、「目標達成したのだから『評点4』だ」「いや、達成したとしても『評点3』だ」といった議論に出くわすことがあります。これは、いわば上司・部下間で目標設定時に「目標レベル」をすり合わせていなかったことの悲劇であるといえるでしょう。部下は「当然、目標達成すれば褒められる＝『高満足ライン』を超える目標」であると考えていたにもかかわらず、上司は「この目標を達成できなければダメ＝『不満足ライン』を下回らないための目標」であると考え

図表2-3-7 「5段階評価」を活用した「満足ライン」の位置づけ基準

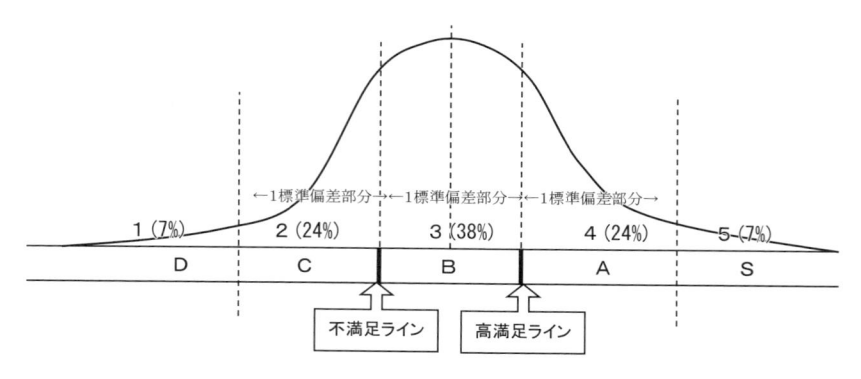

ていたということです。期末を迎えてこのようなズレに気がつくようではいけません。もちろん、「良い目標」は、達成できれば「褒める＝『評点4』をつけることができるレベル」のものです。逆に、上司として、「高満足ライン（評点4のレベル）」の目標を設定したうえで、1段階下のレベルに「このレベルは、必達目標で、達成できなければダメだぞ」と「不満足ライン」を明確に示しておくこともあってもいいと思います（図表2-3-7）。

「評価ランク数」を増やす場合も「5段階評価」を基準にする

ここまで、「評価の標準性」を確保していくうえでの「5段階評価」の有用性についてお話してきましたが、「評価ランク数」について、もっと多く設定したいと考えることもあるでしょう。例えば、「業績評価」の結果を「賞与」等の金額に反映しようと思うとき、「5段階」では、1ランクの違いが、大きな違いになってしまうと考えると、いくら「評価と処遇反映は別物」と頭では理解していても、どうしても思い切った評価差をつけることができず、「中心化傾向」を招く事態も考えられます。

そういった場合は、「評価ランク数」を増やしていくのですが、その時も図表2-3-8のように、「5段階評価」を基準にして「Bランク」を「B＋ランク／Bランク／B－ランク」の3段階に分けて「7段階」、「Aランク」を「A＋ランク／Aランク」、「Cランク」を「Cランク／C－ランク」に分けて「9段階」としていく方法をお勧めします。このように、あくまでも5段階評価」を基準にすることで、「評価の標準性」を確保していくことができると考えられます。

図表2-3-8 「5段階評価」を基準とした「評価ランク」の設定例

評価ランク			付与基準
5段階	7段階	9段階	
S	S	S	等級から見て、著しく高い業績貢献度であり、満足度は極めて高い
A	A	A+	（Aランクの中で、比較的Sランクに近いレベルである）
		A	等級に標準的に期待される業績レベルを上回っており、満足度は高い
B	B+	B+	（Bランクの中で、比較的Aランクに近いレベルである）
	B	B	等級に標準的に期待される業績レベルには達しており、ある程度満足できる
	B-	B-	（Bランクの中で、比較的Cランクに近いレベルである）
C	C	C	等級に標準的に期待される業績レベルに達しておらず、満足できない
		C-	（Cランクの中で、比較的Dランクに近いレベルである）
D	D	D	等級から見て、著しく低い業績貢献度であり、たいへん不満足である

4．要素別評価と総括評価

「要素別評価の総合」と「総括評価」は違う

　「業績評価」においては、いくつかの「目標項目」を要素として、それぞれの評価結果を何らかの方法で総括して1つの「業績評価」の結果を導きます。また、「等級評価」においても「行動」「能力」といった「評価区分」の中に細かい「評価要素」が設定され、それぞれについて評価をしたうえで、それらを総括した「等級評価」を決定していきます。そうして「今回は、いい業績だ」「等級評価としては、いいところまで来ているよ」といった「総括メッセージ」によって、動機づけを図っていくことになります。

　しかし、個々の「評価要素」の結果から計算された「総合評価」で

図表2-3-9　要素と全体の概念図

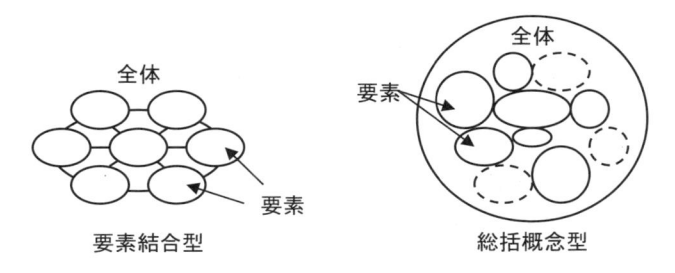

　　　要素結合型　　　　　　　　総括概念型

は納得を得られないことが起こりがちです。なぜならば、全体を「総括」して評価した結果と個々の要素を評価した結果から計算されたものには、ずれが生じてしまう可能性があるからです。

　「『全体』は『要素』の集まりである」という考え方は間違いではありません。しかし、たとえ8割であろうと「全体」を説明するうえで充分な「要素」を挙げていくことは大変難しいことです。「要素結合的」に「全体＝要素A＋要素B＋要素C＋…」といったあらかじめ設定された要素だけで全体を評価しようとすることには無理があり、特定の要素を設定してしまうと、たちまち「なぜ、その要素が必要なのか」「なぜ、こういった要素がないのか」「なぜ、そのようなウエイト配分で合計するのか」といった不満・要望は必ず生じてしまいます。

課題形成を行う切り口として、「要素別評価」を行う

　それでは「要素」を事前に設定しておく必要はないのかというと、そうともいえません。「評価」を、まず「業績」「行動」「能力」といった大きな要素にくくることで、「今期の業績としてはまだ出てきてはいないけれど行動は正しくできているから、次期の業績は期待できる」であるとか「能力レベルがまだまだだから、正しく行動ができていない」といったように、評価の構造を正しく理解し、大きな視点で課題形成ができるわけです。また「行動評価」「能力評価」の内容に

ついても、それぞれより細かい要素別に評価することで「もっと上司や同僚を活用する方がいい」「専門知識が足りない」という課題が明確になり、次期のレベルアップが期待できます。つまり、「要素別評価＝課題形成上の切り口」といえます。

　「次期の課題形成」は、部下の育成を考えていくうえで上司に求められる重要なスキルです。しかし、このスキルは多くの経験や知識によって開発されるものであり、おのずと管理職間のレベル差が存在します。したがって、あらかじめ共通の「評価要素」を設定しておくことは、経験の浅い管理職にとっては「課題形成の切り口」を見通していくことに大変役に立つと考えられます。

　また、「評価要素」一つひとつを着実に評価することを通して「総括評価」の信頼性を高めていくことも期待できます。経験の浅い管理職にとって分析的に評価を行うことはなかなか難しいものです。直感的に「総括評価」した結果が「評価要素」個々を積み重ねた結果と違っており、よく見てみたら「偏り・見落としがあったことに気がついた」といったことはおおいにあります。

　つまり、「要素別評価」と「総括評価」の間には、「『要素別評価』の合計が『総括評価』になるものではないが、『総括評価』を行ううえで『要素別評価』が重要な切り口になる」という関係が成り立つと考えられるのです。

第3章

会社の評価

第1節

処遇反映による「動機づけ」

1．「動機づけ」と処遇反映の関係

「動機づけ」を強化するために評価結果を「処遇」に反映する

　第1章でも述べましたが、戦後の高度成長期から長い期間「給与は、生活保障である」という考え方が社会において一般的であり、人事処遇制度も「年功主義・一律型人事」が主流でした。そのような時代においては「処遇反映」に相対的な差をつけることが「人事評価」の目的であったといっても過言ではなかったといえます。「賞与」や「定期昇給」の額にわずかながらでも差をつけることは、社員に大きな刺激を与えることになり、長期的な「出世争い」の中で「同期に遅れをとるな」という動機づけを行ううえで、おおいに機能していたと考えられます。その意味から、「人事評価」をそのまま「賞与評価（賞与で差をつけるための評価）」「昇給評価（昇給額に差をつけるための評価）」と呼んでいた企業も少なくありませんでした。

　しかし、現在における「評価」と「処遇」の位置づけは少し異なってきています。とくに、働く側の給与に対する考え方の変化に応じて人事処遇制度の内容が転換してきたことは、少なからず影響を与えています。「給与は生活保障ではなく、仕事貢献の対償である」という

第3章　会社の評価

考え方が主流になり、「役割レベルや業績貢献が高ければ給与は高く、逆に低ければ給与が低いのも当たり前」というようになってきました。つまり、「わずかな差」ではなく「貢献の違いによる明確な差」が求められるようになってきています。

また、「人事評価」の目的の中心に「当該期の仕事を振り返ることを通して、次期の仕事のレベルアップを図る」ことを置くようになってきました。そして、そのために「次期の取り組み課題を明確化する」ことと、「動機づけを行う」ことが重要視されてきています。しかし、いくら上司が評価を行い、褒めたりいって聞かせたりしたとしても、それだけではなかなか動機づけられるものではありません。「処遇」に「貢献の違いによる明確な差」がつかなければ「会社としては何も認めていないと同じ」ということになってしまいます。「上司が褒めてくれているのと同様、会社も『給与』の形で認めてくれている」となってはじめて動機づけられます。

つまり、「評価」と「処遇」との関係は「処遇を決めるために評価を行う」のではなく、「評価結果を処遇に反映させることで、評価による動機づけの強化を行う」と位置づけられるようになってきたのです。

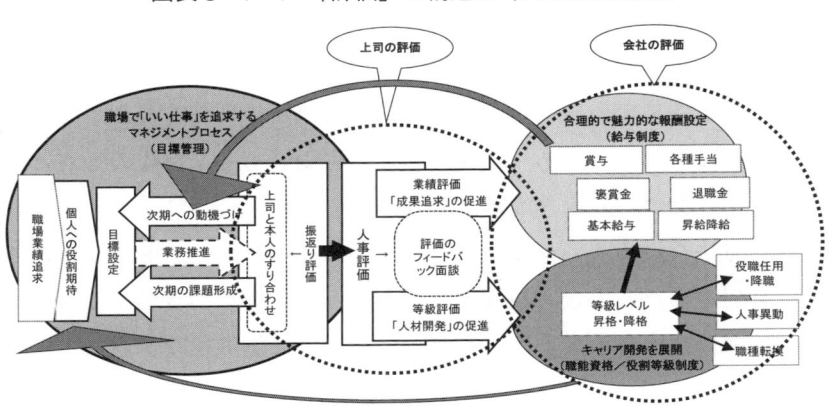

図表3-1-1　「評価」の構造と「人事処遇制度」

動機づけるべき内容に応じ、処遇反映の仕方を考える

　処遇に結びつけることで動機づけを行いたい内容として、一般的に２種類のものが考えられます。１つは、短期的な視点（例えば、１年間・半年間）で本人に「期待されている仕事をしてもらうこと（業績追求）」であり、もう１つは、長期的な視点から「人材としての役割レベルを向上させること（成長・人材開発）」です。

　「短期的（１年間・半年間）業績」を評価し、その結果を処遇に反映して次期の「業績向上」へと動機づけていこうと思うと、当然、その褒賞は時を置くことなくタイムリーに行ったほうが効果は高いと考えられます。したがって「賞与」等の一時金で処遇反映することが合理的であるといえます。

　人材としての「役割レベル」や役割を果たしうる「行動レベル」「能力レベル」についての評価は、社員個々の成長を長期的な視点で見ることが必要です。「役割等級制度」や「職能資格制度」といった「キャリア開発制度」の中で「格付け」し、レベルが向上して特定の基準を超えれば「昇格」します。「昇格」は「等級名」といった「肩書き」の変化として社内外に示され、本人の「承認・自尊の欲求」を満たす結果となります。また、単なる「名誉」というだけでなく、基本給の「昇給」を伴わせることによって「昇格」の魅力が増し、成長を促す機能を果たすのです。

　「短期的業績の向上」「長期的人材レベルの向上」といった２点以外にも、さまざまな人事戦略上の必要性から処遇に反映することで動機づけを行いたい内容はあります。それらについても、前述の２点と同様、その動機づけるべき内容と動機づけの効果・合理性を考えて処遇反映の方法を決めていきます。例えば、社員達にある公的資格を取ることを促進したい場合、長期的な視点で会社の業績に貢献するものであれば「資格保有手当」といった形で長期的に処遇反映することが合理的であると考えられますし、これが短期的に取得者を増やしたい

「キャンペーン的」なものならば、「資格取得一時金」といった形で一気に処遇反映するほうが効果的だと考えられます。

「相対比較」ではストレートに動機づけることはできない

よく「人事評価を相対評価で行っていいですか？ それとも絶対評価ですか？」と聞かれることがありますが、これはちょっと的外れな質問です。なぜならば、前述のような「動機づけ」の意味からいえば「褒めるべき人は褒め」「褒めるべきではない人は褒めない」ことが原則で、基準が絶対的なものとして明示されていることが重要であり、他の社員との相対的な位置づけによってなされるものではないからです。

けれども、「評価」は「相対的」に決められるものではないとしても、その評価結果を処遇に反映するうえで「相対的に決める」ということはあります。つまり、「人事評価を相対評価で行ってよいか？」ではなく、「評価結果を処遇反映するうえで相対的に決めてよいか？」という質問はあり得ると考えられます。

「処遇反映を相対的に決めたい」理由はいくつかあります。最も一般的に考えられる理由は「賞与支給原資総額」や「定期昇給原資総額」が確定されたものである場合、個人の評価結果の出現度数が予想できないと調整が大変だということです。仮に「賞与支給が標準月数の人が6割、評価上位者2割が標準月数プラス10％、下位者2割がマイナス10％」と相対的に枠が決まっていれば、決められた「賞与支給原資総額」を大きく外れることはありません。ところが、そうではなく「業績評価Bの人が標準支給月数、Aの人がプラス10％、Cの人がマイナス10％」とした場合、「今年はいつもより評価Aの人が大勢います」となってしまったら、たちまち予定していた「原資」をオーバーしてしまいます。そのような事態を防ぐために、評価結果を改めて相対的なランクに調整したいということです。

疑問を感じながらも古くからの慣習としてこのような調整を行っているところは、実態として少なくないようです。しかし、そうなると当然「業績評価結果はAだったけれど、相対的な調整の結果によって賞与はBだよ」といったことが起こります。これでは、先に述べたような「動機づけ」はままなりませんし、かえって動機を下げる結果となってしまいます。「賞与」における評価の反映を「動機づけ」ととらえるならば、評価ランクごとの差異をそのまま処遇結果にも反映させるべきでしょう。

　もちろん、支給総額が変わらない限り、社員全体の評価が高ければ「A評価」であっても相対的な価値は下がり、計算上個々に対する賞与支給額は減ります。そして、そのことが不満を生じさせ動機を下げることにならないかという懸念を持つ方もおられます。しかし、明快な説明さえ行えば、社員がこのメカニズムを理解できないということはまずありません。不満が生じるとすれば、むしろ「われわれがこれだけ業績を上げているのに、『賞与支給原資総額』はなぜ増えないのか」といったことについてでしょう。

　「評価の結果を処遇に反映することによって、レベルアップを動機づけていく」といった考え方を貫く以上、本来はそのような処遇原資の算出のルールも含めて全体的に見直していくことが必要であると思います。

2．「給与」の内容と動機づけ

「年収」は、社員の価値を会社がどう評価しているかのバロメータ

　前項では動機づけるべき内容から「処遇反映」の仕方を考えてみましたが、本項では「処遇反映（とくに給与支給）」の機会から、動機づけの方法について述べたいと思います。

　まず、「月例給与」の年間支給分とある程度確実に支給されること

が約束されている「年間賞与額」を合計した「基本年収」について考えてみましょう。厳密にいえば、「月例給与」は「基本給」と「各種手当」から構成され、「各種手当」の中もさまざまな種類に分けられるのですが、社員にとってそれはさほど重要なことではありません。社員は会社が自分に支給することを約束している「年収」という見方をしているのです。とくに、昨今では中途採用者を募集するうえで、「給与」の内容を細かく分類せず「年俸」として提示するケースも多く見られ、そのことにも影響を受けていると思われます。

かつて、アメリカの心理学者ハーズバーグは、社員の動機づけのための報酬には「高ければ高いほどやる気になる：動機づけ要因」と「低ければ低いほどやる気を失わせる：衛生要因」の2つの要因が別個に存在するという説を唱え、その中で「給与（金銭的な報酬）」を「衛生要因」の例として「低いとやる気を失わせるが、高ければ高いほどやる気を高めるものではない」と紹介しています。

ところで、現在の給与は「仕事対償型」ですから、「貢献レベルが高ければ給与は高いが、貢献度が低ければ低いのは当たり前」ということになります。つまり、社員にとって「基本年収」は、会社が自分自身の価値をどのように評価しているのかを把握する目安になるものです。したがって、社員は1円でも高い給与を目指し、大きく昇給すれば俄然「やる気」が湧いてくるという現象は否定できません。今の時代において「基本年収」は、単なる「金銭的・経済的」な意味を超え、会社が自分の貢献価値をどう評価しているのかを判断する「バロメータ」として活用されているといえます。その意味から考えると、どうも「給与」は「衛生要因」ということだけで単純に片付けるわけにはいかなくなっている印象があります。

現在は、転職情報が巷に溢れています。そこから自分自身の評価の位置づけを測ることができます。場合によっては、今の自分をもっと高く買ってくれそうな会社を発見することもできます。より価値を高

めていくことで将来得ることができる「年収」も想定することができるでしょう。

「基本年収」の変動幅が大きすぎると、動機を下げる結果につながる

「基本年収」が、仕事貢献のレベルを表すバロメータとしての機能を持つようになってきている一方で、「年功賃金」的とも取れるような運用は、相変わらず多くの企業で行われています。なぜならば、「基本年収」は、「あまり大きく変動することが好まれない」という性質を持っているからです。

前述のように、単純に片付けられないとはいえ、「給与」には、「低いとやる気を失わせる」という「衛生要因」としての性質が依然としてあります。そして、その「低い」という認識は、同僚の給与レベルや世間の標準所得といったものとの比較から発生するものだけではなく、自分自身のそれまでの収入から期待するものとの比較から生じるものとも考えられます。もともと、自分自身の仕事貢献レベルについては、客観的に自己評価できるものではありません。「昨年がこれぐらいなんだから、今年は少なくとも、これぐらいの額はもらえるだろう」と期待してしまい、それと比較して「高い」「低い」と認識してしまうのです。

ましてや、それまでの収入のレベルを基に経済生活が一旦構築されると、それを下げることは難しいものです。その意味で、「基本年収」は、ある程度下方硬直的な性質を持っているものであると考えられます。したがって、おのずと「よっぽどでない限りは、降給なし」というような給与制度の運用のほうが、社員にとっては受け入れやすいものになってしまいます。そして、それに対応すると、「大幅な昇給もなし」という運用にならざるを得なくなります。そうして、「年功賃金」的給与制度の運用がいつまでも残るという結果になりがちです。

とはいえ、もはや年功賃金では、社員の要望に応えきることはでき

ませんから、全体的には各人の仕事貢献レベルにできるだけ応じた給与支給ルールにはすべきでしょう。しかし、いずれにしても、動機を下げてしまうような大幅な変動は行われないような年収設定になるよう、運用方法に留意することが必要であると思います。

3.「褒賞」としての「給与」の活用

何を「褒賞」するために「賞与」に評価を反映しているのかを明快に示す

　「賞与」という処遇の機会の位置づけは企業によってさまざまであり、前述のように「基本年収」の一部として、固定的に支給されることがある程度約束されているものもあります。しかし一方で、多くの場合、全体の総支給原資や個別の支給金額をその年ごとに定め、金額がある程度変動することを前提としていると考えられています。したがって、「直近の仕事ぶり」を評価したものを「褒賞」する場として活用することで、タイムリーな動機づけを図ることに向いています。「直近の仕事ぶり」といった場合、その中心は「仕事成果」を評価した「業績評価」になるのでしょうが、「仕事のプロセス（行動・能力）」の評価を中心とした「等級評価」も褒賞の対象として考えることができます。

　人事評価の内容として、第2章で述べたような「業績」「行動」「能力」といったような評価要素を設定した場合、「賞与」に反映させるためには評価要素ごとに「ウエイト配分」を決め、それに従って計算する方法を用いることが多いようです。そして、この場合どうしてそのような「ウエイト配分」を設定しているのかが明快に理解されなければ、動機づけにはつながりません。

　図表3-1-2は、「賞与」に反映させる「ウエイト配分」の例として掲げたものですが、この「ウエイト配分」から次のようなメッセー

図表3-1-2　賞与に反映させる評価要素ごとのウエイト配分例

評価要素	業績評価	行動評価	能力評価
管理職層	100%	—	—
中堅社員層	70%	30%	—
若手社員層	40%	40%	20%

ジが伝わると思われます。

① 「管理職層」では、期待された成果を上げていくことに集中してもらいたい。

② 「中堅社員層」では、期待された成果を上げることも大事だが、来期以降のことも考えると正しい仕事の仕方も意識してもらいたい。

③ 「若手社員層」では、正しい仕事の仕方によって期待された成果を上げると同時に、将来に向けて自分自身の能力レベルを向上させることを意識してもらいたい。

もちろん、「賞与」全体の中での「全社業績反映分」「固定支給分」といった個人の評価とは関係しない部分との構成の問題がありますから、この「ウエイト配分」の善し悪しについて講評することはできません。いずれにしても「ウエイト配分」を決めるということはこのようなメッセージを伝えていることであることを意識しなければなりません。

「褒賞金」を「インセンティブ」として有効に活用する

給与支給の1つの形態として「褒賞金」といわれるものがあります。これはとくに「褒賞」したい事項や人物に対して「一時金」として支給されるもので、「賞与」とやや似ていますが、当初から支給されることが予想されるものではなく、「年収」を構成するものとは別枠であると考えられるものです。全社集会で「表彰」される等、支給

対象者以外に対しても広く知らしめる形で支給されることも多く、本人にとっては「賞与」よりも「名誉」を感じることが期待できます。「褒賞金」はしばしば「インセンティブ」と称されますが、これは心理学用語で「ある特定の行動を喚起していくうえでの誘発因」のことを指します。つまり言葉は悪いですが、特定の成果を上げていくことを動機づけていくための「エサ」といえるでしょう。

「褒賞金」は決められた給与に付加するものと位置づけられますから、「給与は仕事貢献の対償である」という原則から外れ、「褒賞の対象やルールをいかように設定してもある程度許される」という特徴を持っています。したがって、社員個々の「業績評価」や「人材レベル評価」といった厳密さや納得性の高さを要求されるもの以外を動機づけていくうえで有効に活用できると考えられます。

「褒賞金」の活用例として最も分かりやすいものに「目標達成賞」があります。前章でも述べましたように、「目標管理」の考え方では「本人にとって『やりがい』のある目標を設定すること」が原則ですから「業績＝目標達成度」と位置づけることはできません。「基本年収（基本給＋想定される賞与）」においては厳密に評価されたものを反映させることが期待されますから、「業績＝目標達成度×目標レベル＋目標以外の貢献」という評価を適用しなければ社員は納得しません。しかし、一方で「目標達成」を充分に動機づけ、ぎりぎり一杯の目標追求を行わなければ、結果として「職場全体の高い業績が期待できない」「全社の戦略が推進できない」という可能性が出てくることも事実です。そこに、「インセンティブ」としての「目標達成賞」が設定されていれば、単純に「目標達成そのもの」を動機づけていくことが期待できます。

「①シンプルな基準を持ち」「②誰にとっても機会が均等に与えられ」「③褒賞される意味・目的が明快」で、しかも「④得ることが魅力的ではあっても、得られないことが妬みを生むことがない程度の適

図表3-1-3　給与の内容と評価反映の考え方

種類	年収 （月例給与＋想定される賞与）	賞与	褒賞金
内容	ある程度固定的に支給されるものとして本人が把握することができる	支給金額をその年ごとに会社が決めることができる	「一時金」として想定外に支給され、「名誉」を伴う
評価反映の考え方	個人の仕事貢献価値を会社がどう評価しているのかを判断するバロメータとなる あまり大きく変動すると、かえって動機を下げる原因となる	直近の仕事ぶりを評価し、褒賞することに適する	特定の行動について単純に動機づけるうえで有効に機能する

切な額」を「⑤皆に賞賛されるような的確なタイミングで支給する」。そんな設計ができれば、「褒賞金」は「インセンティブ」として有効に機能すると思われます（図表3-1-3）。

第2節
「等級制度」による「キャリア開発」

1．「キャリア開発」と「役割レベル」の評価

個別に「キャリア開発」を考えていく時代になってきた

　人間は長い仕事人生の中でだんだんと経験を重ね、仕事内容やレベルを変化させていきます。もちろんそれは平坦で一様な道ばかりではありません。遅々として前に進むことができなかったり、時には後戻りをしてみたりします。自分の意図した通りの道を着々と順調に歩んでいく場合もあれば、自分の意に反して思いがけない道を歩んでいく場合もあるでしょう。しかし、いずれにしても、時間が経つごとにレベルが低くなるのではなく、より望ましい方向へと向上させていきたいと願うものです。この「一連の仕事内容の時系列的な変化・向上」のことを「キャリア開発」と呼んでいます。

　「キャリア開発」について、最近はいろいろな場面で見聞きするようになりました。巷には「キャリア開発」に関する書籍やセミナー等があふれ、若い人たちだけではなく中高年までも個人的な興味と責任を持って自分自身の「キャリア開発」に取り組んでいます。しかし、実はこのような状況は比較的最近の傾向であり、それ以前は「キャリア開発」という考え方は企業人にとってそれほど身近なものではあり

ませんでした。なぜならば、かつては「会社に入れば、みな同じ」という考え方が強く、個人としては、まず入社する会社を選んでしまえば、それ以降自分自身がキャリアを選択していく余地は少ないと思われていたからです。

多種多様な「プロフェッショナル」「マネジャー」の育成が必要

　「キャリア開発」という考えが最近になって普及してきたことには、大きくいって２つの理由があります。１つは、中途採用が増えて転職することが身近になったり、大企業のリストラや倒産が珍しいことではなくなってきたために、「会社・仕事を選択しなおす」ことの頻度が多くなり、それに伴って自分自身の「キャリア開発」を考える機会が増えてきたためであると考えられます。もう１つの理由としては、１つの会社の中にあったとしても求められる仕事の専門性のレベルが高度化・多様化してきたことで「プロフェッショナル型」の「キャリア開発」が求められ、個人にとっての選択肢が一様ではなくなってきていることが挙げられます。

　かつては、どの企業も同じように「大量供給による生産性の追求」を戦略として掲げ、仕事の仕方も「標準化」されていることが期待されていましたから、求められる人材像は、「スペシャリスト」より「ゼネラリスト」でした。したがって、社内における「キャリア開発」も「平社員→係長→課長→次長→部長→役員」といったように管理職として「立身出世」することが中心的に求められていました。社内において「専門課長」もしくは「担当課長」と位置づけられた人は、むしろ出世競争から脱落した人と見られがちであったともいえます。

　しかし、現在、企業自身の独自性・専門性が経営戦略として重要な時代になったことで、社員に対しても専門性の高さが求められるようになり、求められる人材像も「ゼネラリスト」から「プロフェッショナル」に変化してきました。「プロフェッショナル」といってもその

内容は多種多様であり、また、その育成には手間ひまがかかるものです。それでいて、もちろん「マネジメント」を担う人材も会社は必要としています。社員個々の適性や志向、そして、長期的な視点から社会の動向や会社の戦略を慎重にとらえて、個別に「プロフェッショナルの育成」「マネジャーの育成」を考えていかなければならない時代になったといえます。

「役割レベル」を評価することで「キャリア開発」を促進する

「社員個々が『キャリア開発』を考える」という時代になったということは、「社員の処遇のあり方」を大きく見直さなければならない時代に入ったということを意味します。会社が求める「キャリア」を明快に示し、的確に「人事処遇」を行うことができなければ、必要な人材の社外流失を招きかねません。また、そのような人材を開発していくことに長い期間を要するのであれば、その「キャリア開発」を的確に促進するような「処遇格付け制度＝等級制度」が必要になるわけです。

ちょっと前までは、多くの企業において「処遇格付け制度」として「職能資格制度」を活用し、社員個々が保有している「能力的な特性」のレベルを評価し、格付けしていました。しかし、この「職能資格制度」は社内での「キャリア開発」をストレートに促進するものにはなりにくいという特徴を持っています。なぜならば「職能資格制度」で評価される「能力的な特性」は、直接的に「キャリア」をイメージさせるものではないからです。そのため、「キャリア開発」と連動させていくために、前章で紹介したように、まず、「役割レベル」によって「等級段階」を設定し、その「役割レベル」に紐づけて、「能力要件」ごとの「能力レベル」を整備するという、やや回りくどい方法をとる必要があります。

「キャリア開発」とは、「役割」を継続的に向上させていくことです

から、「能力」ではなく、「役割」がレベルアップしたことを直接的に評価し、処遇に結びつけていくことのほうが明快です。そして、どのような「役割レベル」になったら1ランク上の等級に処遇格付けされるかを示すことで、「キャリア開発」を促進していくことができます。現在、このような考え方で制度を構築する企業が増えており、これは多くの場合「役割等級制度」と呼ばれています。

「役割等級制度」は、あくまでも個々人の「役割レベル」を評価するものですが、一方、個々が就いている「ポジション」の「役割レベル」を評価して処遇する考え方があります。これは、「ジョブ・グレード制度」と呼ばれることが多く、欧米では一般的な制度であるといわれています。この制度の下では、どのようなレベルで役割を果たしていようとそのポジションにある限りは一定の範囲のレベルで格付けされます。したがって、「キャリア開発」はどうしても「ポジション異動」を伴うものになり、本人にとっては主体的に意識しにくく、1つの会社の中において長期的な視点から「キャリア開発」を考えていくことが一般的である日本の企業においては、やや扱いにくい制度であるともいえそうです。

図表3-2-1　処遇格付け制度の種類と「キャリア開発」「人材開発」の視点

	職能資格制度	役割等級制度	ジョブ・グレード制度
格付け評価の基準	本人の保有する能力的なレベルの評価による格付け	本人が果たしている役割レベルの評価による格付け	本人が就いているポジションのレベルの評価による格付け
キャリア開発の観点	「役割」のレベルアップと「昇格」が直接結びつかないため、「キャリア開発」をストレートに促進できない	「役割」をレベルアップしていくことが「昇格」につながるため、社内におけるキャリア開発を直接促進できる	キャリア開発のためにはポジション異動が必要であり、本人が主体的に意識していくことが難しい
適応する人材開発の考え方	若年層のうちにあまり処遇差をつけない（淘汰型人材開発）	若いうちから積極的に高い役割を期待（抜擢型人材開発）	必要な人材を社内外問わずタイムリーに調達（随時調達型）

第3章　会社の評価

「抜擢」「淘汰」の視点を入れて「等級制度」を構築する

　もちろん「等級制度」の構築には、社員個々の「キャリア開発」の視点だけではなく、会社の「人材開発戦略」を充分に反映したものである必要があります。その意味では、「役割等級制度」が常に最も適合した制度であるわけではありません。

　たとえば、若いうちは個々の「キャリア開発」よりも組織としての「適正要員配置」を優先する人材開発戦略をとり、人事ローテーションを適宜行っていくような場合がおおいに考えられます。異動をすれば、当面は「役割レベル」が下がることが予想されますが、この場合は「役割等級制度」は直接的に活用しにくいものになります。もし、異動のたびに「等級段階」が下がり、処遇に差がつくようなことがあっては誰も異動したいとは思わなくなります。このような場合には、「役割等級制度」よりも「職能資格制度」によって役割のレベルに厳密にとらわれることなく処遇を保障していくほうがふさわしいと考えられます。

　また、優秀な人材が多い企業の場合とそうではない場合でも「等級制度」の考え方は違ってきます。優秀な人材が少なければ、当然特定の人材に対して若いうちから抜擢し高い役割を期待します。そして、そのことが本人にも充分に動機づけになるように、「役割等級制度」の下で的確に評価し、処遇に結びつけていくことが必要でしょう。しかし、皆が優秀であるのならば、早い時期に処遇に差をつけることはかえってマイナスです。「職能資格制度」を活用して、明らかに能力的に劣っている人間だけを「淘汰」するほうが人材開発戦略を進めていくうえでは有効であると考えられます。

　以上のような「抜擢型人材開発」「淘汰型人材開発」の視点を加えると、たとえば、若年層では「職能資格制度」を処遇格付けの基準に置き、ある程度以上のレベルからは「役割等級制度」によって「キャリア開発」を促進していくといった「等級制度」も、１つの考え方か

89

もしれません。

2.「キャリア開発」の具体的展開

会社が開発したい「キャリアタイプ」を明示する

「役割等級制度」を活用し、「キャリア開発」を促進していくうえでは、前節で述べたように、まず、会社が期待する最高の「キャリアタイプ」のイメージを明確にすることが必要です。つまり、会社としては「このぐらいの役割を果たしてもらえるようになることを期待し、それ相応の処遇をしようと思っている」という具体的なものを示すことです。

この「キャリアタイプ」を示さないと、社員側が意外とステレオタイプなイメージにとらわれ、誰もが「平社員→係長→課長→次長→部長」といった「マネジメントキャリア志向」に陥ってしまう場合が多く見られます。会社として期待する「キャリアタイプ」をいかに魅力的に、かつ現実的に示せるかどうかが「キャリア開発」を促進していくうえで大きな意味を持ちます。

会社が期待する「キャリアタイプ」を表現していくためには、「キャリア開発の軸」を設定することが有効です。「キャリア開発の軸」として最も分かりやすいと思われるものに「専門的役割」と「組織的役割」の2つの軸を活用するやり方があります。要は、特定の業務の専門職としてのキャリアを積むか、管理職として組織経営に携わっていくキャリアを積むかなのですが、実際には「キャリアタイプ」が「専門職」と「管理職」に二分されるわけではありません。これらの2つを「軸」としてとらえてそのウエイト配分を示すことで、期待する「キャリアタイプ」の性質を分かりやすく表現することを目指すのです。

図表3-2-2は、今の時代に標準的に想定される「会社が期待する

図表3-2-2 会社が期待するキャリアタイプ

管理職タイプ	管理職として、より大きな影響力を持つ組織単位の業績追求に貢献する
専門職タイプ	特定の分野の専門家として、余人をもって代えがたい価値を創造し続ける

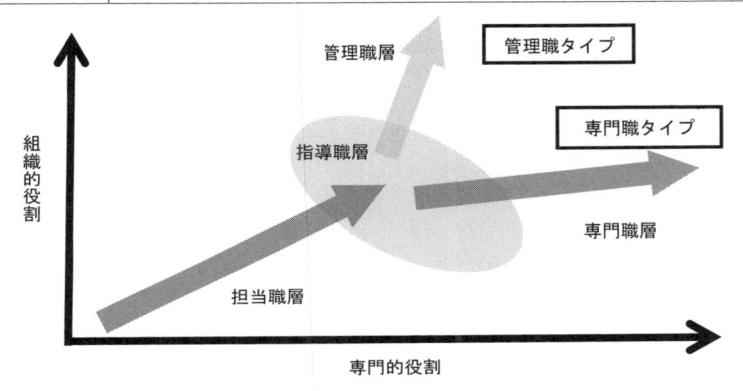

(図：縦軸「組織的役割」、横軸「専門的役割」。担当職層から指導職層を経て、管理職層（管理職タイプ）と専門職層（専門職タイプ）に分岐する図)

キャリアタイプ」ですが、このように示すことによって、目指すべき「キャリアタイプ」が具体的に理解でき、「キャリア開発」の動機づけが図りやすくなっていると考えられます。

「キャリア開発」のプロセスを具体的に示す

　会社が期待する「キャリアタイプ」が明示できたら、次は、その「キャリアタイプ」のレベルに達するまでの「キャリア開発」のプロセスを示すことが重要ですが、その点でも「キャリア開発の軸」が有効に機能します。つまり、「軸」ごとにそのレベルを等級評価していくステップを設け、それを「役割等級」に連動させるのです。

　図表3-2-2の「キャリアタイプ」を紐解く形で具体的に事例を紹介します。図表3-2-3、図表3-2-4に示すように、この事例では、「専門的役割」と「組織的役割」の2つの「役割等級」の軸を活用して処遇を行っています。このことで、現在の自分自身のレベルをとらえることができ、また、自分の目指している「キャリアタイプ」に向

図表3-2-3　「役割等級制度」による「キャリア開発」の展開例

① 未経験で入社したものは、「見習い段階」として「J1等級」に位置づけられる
② 「J1等級」として「組織的役割」「専門的役割」のレベルをアップし、両方の役割とも「J2等級」のレベルを満たすと評価されたときに「J2等級」に昇格する
③ 「J1→J2等級」と同様に、「J3等級」「S1等級」の「組織的役割」「専門的役割」のレベルを満たすと評価されたときに「J3等級」「S1等級」に昇格する
④ 「S1等級」として「サブリーダー」もしくは、それに準じる役職に就き、もしくは「役職」に就かずとも、「S2等級」の「組織的役割」のレベルを満たしていると評価されたときに「S2等級（管理職タイプ）」に昇格する
⑤ 「S1等級」として「S2等級」の「専門的役割」のレベルを満たしていると評価されたときに「S2等級（専門職タイプ）」に昇格する
⑥ 「S2等級」として「サブリーダー」もしくは、それに準じる役職に就き、レベルの高い「組織的役割」を果たし、「チームリーダー」の「役割」を担えると評価されたときに「M1等級（管理職層）」に昇格し、「組織人事」のタイミングに応じて「チームリーダー」に任用される
⑦ 「S2等級」として「M1等級」の「専門的役割」のレベルを満たしていると評価されたときに「M1等級（専門職層）」に昇格する

かってどのようなプロセスをたどっていくことができるのかがある程度明確に理解できます。いま「管理職タイプ」を目指している「S1」の社員であるならば、「専門的役割」としてのレベルを上げるとともに、「サブリーダー」等の役職に就き、マネジメントの補佐をすることを通して「S2」に昇格することも、キャリア開発上の目の前の課題であることが分かります。

「等級」は「役職」と連動するが、並行して運用する

　ところで、図表3-2-3で紹介した「キャリア開発」の事例では、「サブリーダー」「チームリーダー」といった「役職」への任用が、昇格のタイミングで出てきています。「等級制度」と「役職制度」の運用については、混同して用いられることがよくありますので、ここでは、やや厳密に説明したいと思います。

　「役割等級制度」において「組織的役割」をレベルアップし、「管理

第3章　会社の評価

図表3-2-4　「役割等級制度」における「役割レベル」による「等級基準」例

等級		組織的役割	専門的役割	
管理職層	M3（執行役員層）	部門長として、担当する部門のマネジメント業務を行うとともに、会社の幹部として経営を補佐・代行し、主体的に全社経営に関与する	会社を代表するプロフェッショナルとして、事業の根幹を担う専門的分野を担当し、余人をもって代えがたい程高度な専門技術を発揮して主導的に業務を推進する	専門職層
	M2（部長層）	重要度・規模の大きい組織の運営管理責任者、もしくは部門の副役職として、担当する組織の運営管理責任を担い、主体的にマネジメント業務を行うとともに、上位管理職のマネジメント業務の補佐・代行を行う	所属する部門における高度なプロフェッショナルとして、部門内の重要な専門的分野を担当し、非常に高度な専門技術を発揮して主導的に業務を推進する	
	M1（課長層）	チームリーダーもしくはそれに準じる役職者として、担当する組織単位の運営管理責任を担い、主体的にマネジメント業務を行う	所属するチーム内における高度なプロフェッショナルとして、重要な専門的分野を担当し、高度な専門技術を発揮して主導的に業務を推進する	
指導職層	S2（係長層）	サブリーダー、もしくは、それに準じる役職に就き、組織単位の運営責任者としてマネジメント業務を行うもしくは、上位管理職の指示・支援に従って、上位組織のマネジメント業務の補佐・支援・代行を行う	高度な専門業務もしくは広範な業務領域を担当し、レベルの高い知識・技術を発揮して、組織内の「業務リーダー」として、中長期的な視点を持って主導的に業務を推進する	
	S1（主任層）	所属組織の業績に対する関心を持ち、組織内のメンバーに対して指導・育成的な役割を担うとともに、上位者の要請に応じて、マネジメントの支援・補佐を行う	比較的高度な専門性や広範な対応を必要とする業務の担当者として、知識・技術や判断力・課題解決能力を充分に発揮して主導的に業務を推進する	
担当職層	J3（上級担当者）	会社の諸制度・諸規程に準拠して適正な組織運営に貢献するとともに、主体的にチームワークを発揮して、所属組織の円滑な業務推進・生産性向上に貢献する	特定範囲の業務担当者として、専門的な知識・技術と自らの創意・工夫を発揮して、自ら実行計画を作成して自律的に業務を推進する	
	J2（初級担当者）	組織内のルールや会社の諸制度・諸規程・行動規範を理解し、組織内のメンバーの一員として積極的に職場の上司・同僚に協力して、職場業績に貢献する	比較的限られた範囲の非定型的な業務を担当し自主的に進捗管理を行い、必要な判断を下しながら迅速かつ正確に業務遂行する	
	J1（見習い段階）	企業人としての自覚・責任感のもと、会社の基本的ルールやビジネスマナーを身につけ、上司・同僚と適宜報告・連絡・相談を行って周囲との協力を行う	上位者からの指示・指導の下で進捗管理しながら主に定型的業務を担当し、業務遂行に必要な知識・技能の習得に努める	

職」として「キャリア開発」していくうえでは、ふさわしい「役職」に任用され、充分にその「役割」を果たしていることが、重要な「等級評価」の要件となります。図表3-2-4の「等級基準」においても「S2」では、「サブリーダー」、「M1」では「チームリーダー」という役職名が記載されています。ところが、これら「役職任用」等の「組織人事」は、「組織戦略」に基づいて行われますから、社員個々の「等級」とは別のものです。新しい「チーム組織」が設定されれば、当然「チームリーダー」を1名任用する必要がありますし、これまで2つあった「チーム」が1つに統合されれば、「チームリーダー」は

1名降職することになります。そして、その任用については、「相対的に考慮して最もふさわしい人材」が充てられることになります。

一方で、「チームリーダー」には「チームリーダーが担える人材」であることが明確であることが求められます。これを担保していく仕組みが「等級制度」です。「等級制度」と「役職制度」は、長期的な視点から並行して運用して、「育成を目的に『代理役職』に任用し、『役割レベル』の向上を図り、充分に『正役職』を担えると評価できる段階で『等級昇格』を行って、同時に『正役職』に任用する」「『組織人事』によって『正役職』を降職した人材を、『等級』を降格することなく『副役職』に任用し、別の『組織人事』のタイミングで新たな『正役職』に任用する」といった柔軟な運用が可能になります（図表3-2-5）。

「これでは『役割等級制度』では、ないのでは？」と思われる方もいらっしゃるかもしれませんが、「役割等級制度」は、長期的な視点で「キャリア」をとらえていくことが重要ですので、このような運用を行うことが、むしろ利点といえるでしょう。この点が「ジョブ・グレード制度」とは大きく異なるところであるとお考えください。

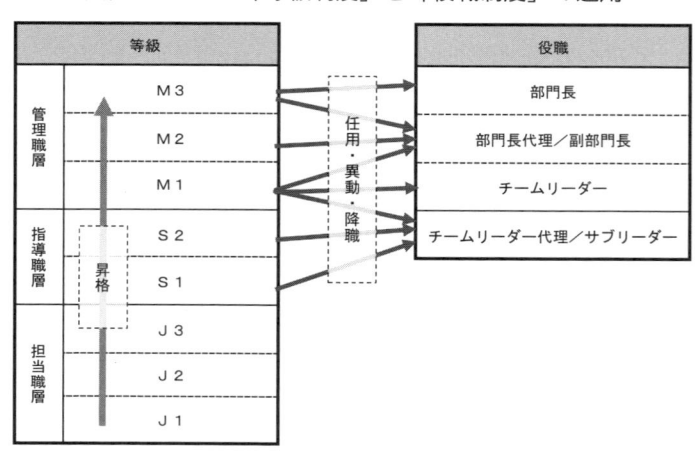

図表3-2-5　「等級制度」と「役職制度」の運用

等級		任用・異動・降職	役職
管理職層	M3		部門長
	M2		部門長代理／副部門長
	M1		チームリーダー
指導職層	S2		チームリーダー代理／サブリーダー
	S1 （昇格）		
担当職層	J3		
	J2		
	J1		

第3節 処遇結果のフィードバック

1．面談による処遇結果のフィードバック

上司との面談で「処遇結果」のフィードバックを主テーマにする必要はない

　「評価のフィードバック」と「処遇結果のフィードバック」を混同してとらえ、「評価のフィードバック面談」は、「賞与額」「昇給額」について上司が本人に伝達し、説得することが目的であると位置づけている場合が時々見受けられますが、これは間違いです。なぜならば、以前のように、「処遇に差をつけるために評価を行う」という位置づけで「評価」をとらえているのであれば、「評価＝処遇」と考えてもよいのでしょうが、現代では、評価と処遇の関係は逆転し、「次期のレベルアップのために評価を行い、その評価した結果をより明確に動機づけていくために、処遇に反映する」ととらえるようになってきているからです。

　ましてや、「処遇結果」は上司自身が意思決定の主体者・責任者ではありません。「フィードバック面談≒プロ野球の年俸交渉」と勘違いしている社員も多く見られがちですが、よく考えてみれば、「プロ野球の年俸交渉」の場で選手の相手をするのは、球団の経営側の代表

者であり、決して現場で一緒に戦っている「監督」や「コーチ」ではありません。もし「監督」や「コーチ」が選手の年俸にまで責任を持ってしまったら、試合がやりにくくてしょうがないではありませんか。

したがって、「評価のフィードバック」とは、上司が前期の仕事ぶりについて評価した内容を本人に伝えることで、次期の仕事のレベルアップに向けて、取り組むべき課題をすり合わせて、本人の理解・共感を導き、動機づけを図っていくことをいいます。そして、そのフィードバックを行う機会として、「面談（フィードバック面談）」を有効に活用するのです。

その意味からいえば、「評価のフィードバック面談」の場では、「処遇結果」の伝達を主要テーマにする必要はありません。もし、「評価のフィードバック」を行う場で、「処遇結果のフィードバック」も並行して行い、その内容について本人を説得することに多くのパワーを割かなければならないとしたら、「評価」の内容についての理解・納得・共感にも悪い影響を及ぼしかねません。「評価のフィードバック面談」の場面で「処遇結果」についても触れる場合は、「処遇ルール」について必要な説明を行うことで、本人の誤解を解いたり、処遇結果についての本人の意見や不満を聞き、上司としてとるべき措置を行うという程度にとどめることで充分であると考えられます。むしろ、今期の評価の反映結果についてではなく、次期の処遇アップのためにどのように仕事のレベルアップを図っていくかについて、本人と上司が一緒に考えていくことが重要なテーマだと思われます。併せて、次期だけでなく、長期的な視点から部下の「キャリア開発」について展望していく機会としても活用していくことが有効であると考えられます。

第3章　会社の評価

経営者からのメッセージとして「処遇反映結果」を通知する

　上司との面談場面で「給与」「昇格」といった処遇反映結果について主テーマにする必要はないと述べましたが、これは、上司が経営者に代って処遇結果の説得をする必要はないという意味です。前述したように、評価を処遇に反映するのは本人を動機づけていくためであると位置づけられます。したがって、処遇反映結果は本人に伝えられなければなりません。そして、処遇反映結果を本人に伝える機会としては、やはり上司による「フィードバック面談」の場がもっとも合理的でしょうから、いかにスムーズに伝えることができるかを考える必要があります。

　上司による「フィードバック面談」において処遇反映結果を伝えていくうえでは、「経営者」からの通知文書（「給与辞令」や「昇格辞令」）が用意されていることが重要であると思われます。そのことによって、処遇反映は経営者からのメッセージであり、その責任は経営者にあることが明確になります。形としては、上司から本人に渡されるのですが、上司もある意味その通知の「受け手」であり、説得する立場に立つ必要はなくなります。

2．「処遇反映ルール」の理解の促進

処遇反映の考え方・ルールを丁寧に説明することで誤解を招くことを防ぐ

　もちろん、上司の評価と処遇反映結果の間に何の関係性もないというわけではありませんから、どうして、このような処遇結果に至ったのかについては、上司と本人で確認する必要があります。上司が評価を行った後のプロセスとして、どのような考え方・ルールに基づいて処遇反映されたのかを充分に理解・納得していくことは大事です。

　したがって、処遇反映の考え方・ルールを明確に紙面に書き、その

都度全員に配布するという丁寧な手法をとることは有効です。「そんなものは、給与規程・人事評価規程に書かれているから、とっくに配布済みだ」とおっしゃる経営者もいるでしょうが、それらをその都度引っ張り出してくるのは大変な手間です。また、規程書はどうしても表現に限界があり、非常に分かりにくく、誤解も多いことが想定されます。「今年の賞与について」といった文書をその都度作成すれば、具体的な金額も入れて文書化し、説明することができますから、一読すれば内容が分かるものにすることができるでしょう。

　「なんで前回より評価は高いのに、賞与は低いのか」「なんで評価は高いのに、昇格しないのか」、その考え方・ルールを丁寧に文書で説明することができれば、理解・納得できることは多いはずです。ただし、重ねて申し上げますが、この考え方・ルールの説明・説得をすることで、上司との「フィードバック面談」の時間を無駄に費やすことは絶対に避けたいところです。

必要に応じ、処遇反映の考え方・ルールを見直す
　評価を処遇に反映するのは、必要な動機づけを行うためですが、評価が処遇に反映された結果がフィードバックされ、その「考え方・ルール」を本人が充分に解釈したとしても、どうしても納得・共感することができず、動機づけにつながらない場合も考えられます。「なんで賞与が低いのかを一生懸命考えたけれど、やっぱりこの考え方はおかしいですよ」といわれてしまう場合です。

　「考え方・ルール」ですから、A案もあればB案もあり、その中から会社として一番合理的であると考えられるものを1つだけ選択せざるを得ません。そのことからいえば、ある人にとっては納得・共感できても、ある人の考え方には沿わないものになることはある程度は仕方ありません。できるだけ「多数派」の意見を採択しようということが判断基準になるのでしょう。しかし、「少数派」であっても、その

動機づけに及ぼす影響があまりに大きければ無視できません。また、人の価値観は時代・世代によって大きな違いがあるものです。ちょっと前までは「多数派」だった考え方が、あっという間に大転換することもおおいに考えられます。

　したがって、フィードバックした内容に対する社員の受け止め方を敏感にとらえ、処遇反映の「考え方・ルール」の見直し・修正に反映させていこうとする姿勢を会社側としては常に持っていることが大事であると思われます。

補章

「上司」「会社」以外の評価

1.「360度評価」の考え方と展開

「360度評価」は「評価の信頼性」を高める仕組みなのか

　「360度評価(多面評価)」とは、1人の対象者について複数の評価者が多方面から評価を行う評価方法をいいます。「多方面」ですから、上司(上から)の評価だけでなく、職場の同僚(横から)や部下(下から)、場合によっては、隣の職場や他部門に所属する仕事の協力者や関係者(斜めから)といった多くの人を動員して「評価」を行うわけです。

　なぜ、そのような評価方法が注目されてきているかというと、理由は「評価の信頼性」を高めるためだという考え方をとることができそうです。

　「評価の信頼性」を高めていくためには、前述したように「妥当性」「客観性」「標準性」の3点が重要ですが、評価者の能力や価値観にはどうしても差があるため、信頼性の高い評価を行うことは非常に難しいものです。そこで「360度評価」を行うことによって、そのことの是正を図ろうとするわけです。

　複数かつ多方面の人物が評価を行うことは、「評価の信頼性」を高めるうえで有効であると考える理由として、次のような点が挙げられます。

　①個々の評価要素について、その対象となるべき人物が直接評価を行うことによって、より妥当な評価を行うことができる(「部下指導」→部下、「チームワークの発揮」→職場の同僚)。
　②複数の人の多角的視点によって評価することで、一面的なものに陥ることなく広く情報収集を図ることができ、客観性をより高めることができる。
　③評価に対する責任が1人の肩にのしかかることがなくなり、過度

な緊張感が解かれ、より冷静に評価することができる。
　④多くの人の評価を総合して全体傾向を見ていくことで、評価者一人ひとりの評価の偏り・クセが是正・標準化される。

　また、このように「評価の信頼性」を高めるプロセスをとっていることそのものが、被評価者の納得感を高め、評価結果をより有効に活用していくことにつながるというメリットもあるといえそうです。

　ただし、前述のような「評価の信頼性」の観点からいうと「360度評価」にはメリットだけではなくマイナス面も含んでいることを忘れてはいけません。例えば「さまざまな立場の人の視点が入る」ということは「全く妥当性・客観性を欠いた評価が紛れ込む可能性が高くなる」ということですし、「評価の責任が１人の肩に掛からない」ということは「責任が分散し、厳密さを欠いた無責任な評価を招く」ということにつながりかねません。また、「複数の評価を総合する」ということは「個々の評価の平均値を見てしまい、それぞれのメッセージが相殺され、全体像がかえって分かりにくくなる」ということも考えられます。

　そして、それらのマイナス面を是正しようとすると、「全評価者に対して評価スキル訓練を行おう」「評価スキルの高い人のみを評価者として選抜しよう」「評価者の選抜条件を全社で揃えよう」「標準性を確保するために、１人につきかなり多人数の評価者を確保しよう」などといった不毛な議論に入り込み、「その評価は何のために行うのか」といった原点に帰って考えるとまさに本末転倒になってしまいかねません。

　したがって、「360度評価」を「複数の評価者によって信頼性の高い評価結果を自動的に出すシステム」ととらえることは間違いといえます。そうではなく、「360度評価」は、「評価責任者が、評価の信頼性を少しでも高めるために、より多くの関係者からの情報を収集する仕組み」ととらえるべきです。つまり、「360度評価」は、「本人もしく

は直属上司」が、「当該期の仕事の成果やプロセスを振り返り、次期のレベルアップを図っていくうえでの課題形成を行っていくためにいろいろな人の意見を聞いてみること」であったり、「経営者もしくは人事責任者」が、「社員個々の処遇を決定していくうえで、上司の意見だけでなく、他の人の考えも聞いてみること」であると位置づけられます。

「360度評価」ではなく、「360度フィードバック」

それでは、いったいどのような目的で実施されているのでしょうか。実は、「360度評価」の先進国であるアメリカでは「360度評価」とはいわずに「360度フィードバック」と呼んでいます。つまり、「複数の人間が評価すること」が重要なのではなく、「いろいろな立場の人からフィードバックを受けること」に意味があるとしているわけです。そして、そこには、もともとの目的が「本人が自分自身の仕事ぶりをより客観的にとらえ、的確に課題形成することでレベルアップを図っていくこと」であることがうかがえます。

「複数の他者からのフィードバックを受けて、自分自身のレベルアップの課題形成を行う」というと「そんな研修があったな」と思い出す人も多いかもしれません。実はわが国でずい分前から1つの研修スタイルとして確立している「評価データフィードバック型研修」は、まさにこの「360度フィードバック」であるといえます。

単にフィードバックするだけでは、「せっかくのデータを的確に分析することができるだろうか」「分析した結果を自分自身のレベルアップへと正しく活かしていけるだろうか」といった懸念が生じます。そこで、被評価者を職場から離して集合させ、充分な時間をとり、フィードバックを行うことの意味とメリットを丁寧に説明し、頭を整理しやすいシート類を活用して個人研究を行い、トレーナー（専門アドバイザー）や他のメンバーからのアドバイスを受けながらじっくり

と分析し、課題形成を行っていくのです。情報提供までを会社のサービスとするアメリカと違って、わが国では実に丁寧なプロセスによって「360度評価」を展開しているといえます。

　毎年「360度評価」を行おうとすると、「研修」のような手間と経費をかけるわけにはいきません。しかし、考え方は全く同じです。したがって、研修をせずとも「いかに素直に評価内容を見ることができるか」「いかに的確に分析することができるか」「いかに意味のある課題形成を図ることができるか」といった環境が充分に整っていることに留意しながら進めていくことが重要です。

「記名」による評価が行える風土作りを期待する

　本人が自分自身の現状の特徴や問題点をより厳密に分析していこうとすると、「誰がどのように評価しているのか」が明確になっていることは、非常に重要であることが分かります。「彼がいっているのは、あのときのあのことだな…」「なるほど、彼女がこのように考えているのであれば、反省しなければならないな…」といった分析をしていくことで課題形成がより具体的にできるのです。

　ところが、評価をする立場からすると、評価者が特定されてしまうことには抵抗感が伴います。ネガティブなフィードバックを行うべき局面に立たされている場合など、個人的に恨まれたくないと考えるからです。また、評価内容を他者に見られることで「評価者自身が評価されたくない」と考えてしまうことも事実です。ましてや日ごろから職場内のコミュニケーションが不足していたり、メンバー相互の信頼関係が成熟していない状況においては、評価することの抵抗感だけではなく、評価した結果そのものも表面的な当たり障りのないものに陥り、「360度評価」することの意味を損ないかねません。

　これらのことを解消するためには、残念ながらある程度時間をかける必要があります。職場内で相互に評価し合い、それを次期のレベル

アップに活かしていく経験を重ねることで「360度評価」の意味やプロセスの理解が徐々に浸透し、そして、そのこと自体が相互の信頼関係作りと日ごろのコミュニケーションの活性化の促進にもつながっていくという展開を待つ必要があります。

　最終的には「記名」で評価し合い、自然に相互にフィードバックしていけるような組織風土の醸成を目指すものの、まずは「部下」「同僚」「関係部署」といった最低限の情報のみにとどめた「無記名式」の「360度評価」を行っていくことが現実的なのではないかと思います（図表　補－１）。

> ## ２．社外の専門家による評価

社外の専門家が社員個々の処遇決定に直接関与することは難しい

　一時期、社外の人材斡旋コンサルタントを社内に招き、管理職層を中心とした上位層の社員との面談を実施してもらってその市場価値を評価し、「転職相場」から社員の年収を決定しようというやり方を行っている企業の例がマスコミに取り上げられたことがあります。つまり、他社の中途採用への応募やヘッドハンティングを危惧し、優秀な社員が給与面からの不満感を持つことが無いようにしようとする方法です。取り上げられた当時は、「成果主義賃金の考え方もここまで来たのか」というマスコミ的な意図ともあいまって、かなりセンセーショナルに伝えられた印象があります。

　ただし、この方法は、「役員クラスのトップ層」を除いた管理職層一般には普及・定着しているとはいえず、文面どおりに社外のコンサルタントが給与額を最終的に「決定」するような運用をしている場合は少ないようです。なぜならば、給与を決定していくうえで、「転職相場」と比較することでは、かえって納得できないことが多いからです。確かに「給与は仕事貢献に対する対償である」という考え方が、

補章

図表補-1 「360度フィードバック報告書」例（管理職の役割行動）

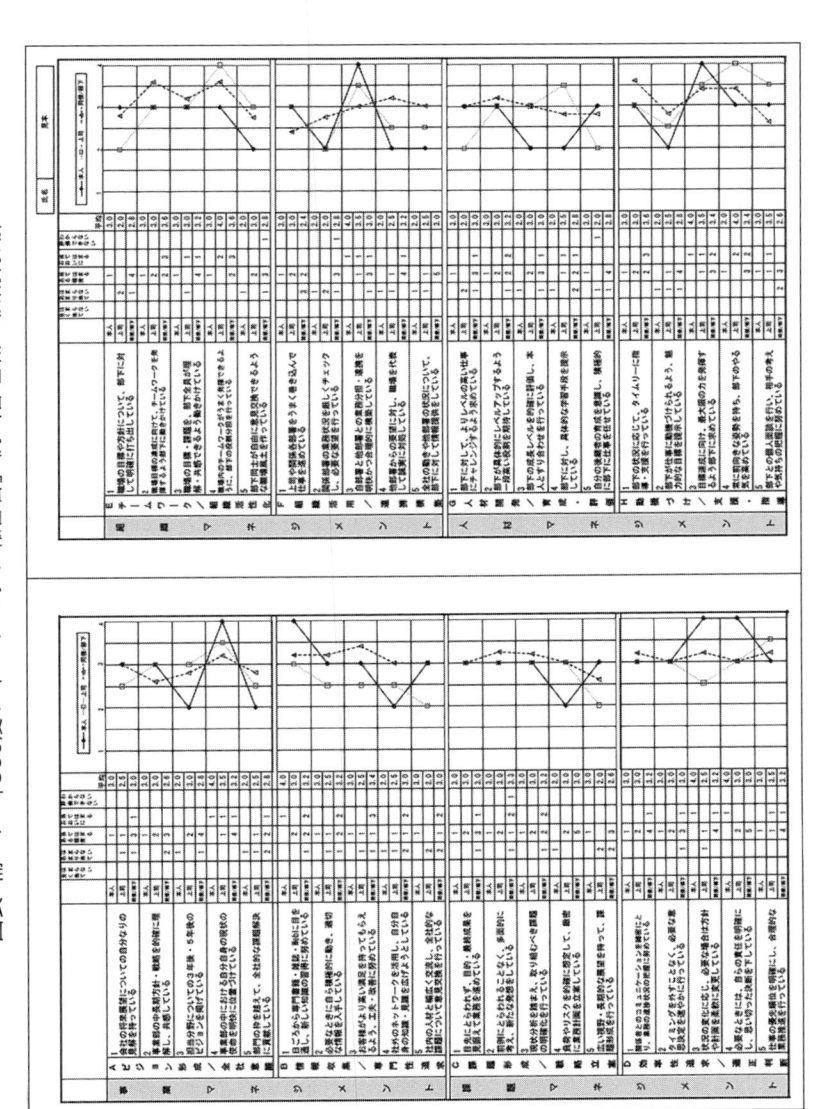

107

今の時代においてはもっとも共感しやすく、その「仕事貢献」のレベルを評価するのに社外と比較することには意味があります。ただし、「給与」についていえば、「他社とは違うその会社独自の価値」や、「現時点だけではない、これまでの蓄積による貢献や長期的な視点による期待」「社内の他者に対する影響」「会社の経営状況に応じた給与支給可能原資」といった多くの要素も踏まえて決定していく必要があります。そして、それらは、社外のコンサルタントには評価不可能な要素であり、いかに専門家といえども社外の人間を直接活用することは非常に難しいと考えられます。

　もちろん、他社に比べてあまりにも低いようであれば、やる気を失わせ、退職につながることも予想され、そのような事態は防がなければなりません。したがって、もし、社外のコンサルタントの評価結果を活用するとすれば、会社の提示する処遇内容が常識的な範囲のものであるかをチェックするうえでの参考にするといったものにとどめるのがよいのではないかと思います。

「人材」としての可能性を「アセスメント研修」によって評価・診断する

　「処遇反映に直接関与する」ことは難しいと考えられますが、これに対して、「人材としての可能性について評価・診断する」ことについては、現在多くの会社で社外の専門家を活用している実態が見られます。つまり、「実際の仕事成果」や「職場での職務行動の発揮状況」を評価するのではなく、現有の「能力特性」を評価・診断することで、「今後の仕事成果」や「職務行動の発揮」の可能性を予想するものです。

　そのやり方として広く普及しているものに「アセスメント研修」があります。これは、標準化されたプログラムによる研修場面を設定し、その中における行動をアセッサーが観察することによって、各人が保

有する「能力特性」を評価・診断しようとするものです。もちろん、研修場面での「行動」ですから、実際に職場で行動するかどうかは分かりません。ただし、保有している「能力特性」からいえば、実際に職場で求められたときにそのような行動をとれるのではないかと予想をすることができます。そこを診断し、併せて、今後の能力開発ポイントを本人に対してフィードバックすることによって、人材登用や人材開発に活用するのです。

　できるだけ信頼性の高い評価をしようとすると、プログラムの信頼性の高さは大事であり、使用するケース等の教材の妥当性・標準性の確保は非常に重要です。また、アセッサーの力量も重要であり、多くの経験と確かな訓練によって裏打ちされたものであることが求められます。だからこそ、社外の専門家を活用する意味があるのです。また、評価される側にとっても、他の多くの企業の人材との比較によって評価され、また、専門家の診断であるということであれば、評価結果を納得し、アドバイスを素直に聞き入れようとする気持ちにもなります。

　しかし、標準化されたプログラム・教材を確保し、力量のあるアセッサーを用意しようとすると、どうしても限られた「行動」についてのみになりがちです。したがって、現在普及しているものとしては、「課題解決行動」「リーダーシップ行動」といった管理職に求められる行動についての評価をするものがほとんどで、専門的な行動については、各種業界団体などに一部用意されているにとどまるようです。さらに実施していくうえでは多くのコストと手間を必要とし、企業としての負担は大きいものになります。そのような背景から、管理職登用の検討プロセスにのみ位置づけている企業が多いようです。

　また、社外の専門家による「アセスメント研修」は、社員個々の評価を行うことにとどまらず、同じ内容のものを長期間に渡って実施し、企業内で多くの受講者・被評価者数を蓄積することによって、他社と比べたその企業の人材の特徴を診断することができます。これ

は、企業の長期的な視点からの人材開発戦略立案上のデータとして、有効に活用できるものであると考えられます。

あとがき

　本書の基となる書籍「上司の評価　会社の評価」の初版を出したのが2007年でした。雑誌「人事実務〈産労総合研究所〉」における「Q&A 人事評価」への2005年から２年間にわたる連載記事を集約する形で出版に至りました。当時、私は人事コンサルタントとしての仕事を始めてまだ10年ほどであり、経験が浅い中ではありましたが、各社における人事制度の構築や管理職に対する指導を行うことを通して得ることができた知識や問題意識に基づき、私なりに思い切った論点をご紹介することができたものと自負しております。
　おかげさまで、多くの皆様にご講読いただき、各企業の人事評価制度の運用の参考書としてご活用いただいてきました。また、どちらかというと主に「評価制度」を構築・運用する経営者・人事管理担当者向けの書籍として想定していましたが、「管理職教育」の参考図書として長くお使いいただいているケースも多く、たいへん光栄に感じています。本書におけるもっとも重要な論点である「評価は何のためにするのか」について理解の浸透は、今もなお各企業における大きな課題であることがうかがえます。

　ところで、「上司の評価　会社の評価」の初版から20年近く経過し、「企業経営」を取り巻く環境や「人事管理」の実情も大きく変化してきており、本書において取り上げているエピソードや文章表現の中にもいささか古臭いものが散見されるようになり、「管理職教育」の参考文献としては「時代遅れ」を隠せないものとなってきました。そこで、今回、新しい書籍として「その人事評価は何のため？」の筆を執った次第です。
　また私自身、人事コンサルタントとして経験を積み重ね、現在では、

以前にご紹介した論点とはいささか異なる切り口でお話をすることも出てきています。特に、「企業の管理職に求められる役割」を意識し、「上司の評価」としての「部下の成果追求と人材開発の促進」の重要性について強調する機会も多くなっています。そこで、今回の書き直しにあたって、そのことについてこれまでの「上司の評価　会社の評価」よりも多くの紙面を割いて紹介し、全体的な章立ても大きく変更いたしました。

　最後に、本書を出版するに当たって、「評価」についての考えを構築していくプロセスで重要な現場の情報をご提供いただき、ともに意見を闘わせた多くの企業の経営者・人事担当の皆様に心から感謝の気持ちを表したいと思います。また、私の考えにご支持をいただき、一貫して支援してくださいました「産労総合研究所」の皆様と、全体構成・文章作成に当たって、常に多大な協力を仰いだ㈱キャリアアンカーの阿久津麻里氏に、改めて御礼を申し上げます。

2025年8月

塩津　真

著者略歴

塩津 真（しおつ まこと）

　1958年　埼玉県生まれ

　筑波大学人間学類（心理学主専攻）を卒業後、㈱日本リクルートセンター（現リクルートホールディングス）入社。途中一時退職し、筑波大学大学院　経営・政策科学研究科修了。

　同社にて「科学万博つくば」協会コンパニオンの人事・組織の設計等、数々の大型プロジェクトの企画・開発を担当。組織活性化研究所主任研究員、人材開発事業準備室課長、株式会社コスモスホテル開発（リクルートグループ）人事課長を経て、1994年に株式会社キャリアアンカーを設立。「良い仕事をする人と組織作り」をテーマに、人事・組織戦略コンサルタントとして数々の企業で成果を上げている。

　コンサルティングの傍ら、目標管理・人事評価・組織診断・ES調査・360度フィードバックの専門家として著述・講演活動も多く行っている。主な著書に「令和版 さあ、いい仕事をしよう！（経営書院）」がある。

その人事評価は何のため？

2007年5月18日　第1版　第1刷発行
2022年7月16日　第1版　第2刷発行
2025年9月25日　第2版　第1刷発行
本書は、「上司の評価　会社の評価」を改訂、改題したものです。

著　者　塩　津　　　真

発行者　平　　　盛　之

発行所　㈱産労総合研究所
出版部　経営書院

〒100-0014
東京都千代田区永田町1—11—1　三宅坂ビル
電話03(5860)9799　https://www.e-sanro.net/

本書の一部または全部を著作権法で定める範囲を超えて、無断で複製、転載、デジタル化、配信、インターネット上への掲出等をすることは禁じられています。本書を第三者に依頼してコピー、スキャン、デジタル化することは、私的利用であっても一切認められておりません。
落丁・乱丁本はお取替えいたします。　　　　　印刷・製本　中和印刷株式会社

ISBN978-4-86326-400-7　C2034